À lire avec un grain de sel !

Investiguez vos pensées,
changez le monde

D1415153

Investiguez vos pensées, changez le monde

Byron Katie

Traduit de l'anglais par
Danielle Champagne

Copyright © 2007 Byron Kathleen Mitchell
Titre original anglais : Question Your Thinking, Change The World
Copyright © 2008 Éditions AdA Inc. pour la traduction française
Cette publication est publiée en accord avec Hay House Inc.
Tous droits réservés. Aucune partie de ce livre ne peut être reproduite sous quelque forme
que ce soit sans la permission écrite de l'éditeur, sauf dans le cas d'une critique littéraire.

Syntonisez Radio Hay House au www.hayhouseradio.com

L'auteure et l'éditeur ne doivent être tenus responsables d'aucune manière que ce soit de
tout usage personnel des informations contenues dans ce livre.

Éditeur : François Doucet
Traduction : Danielle Champagne
Révision linguistique : Roger Painchaud
Correction d'épreuves : Isabelle Veillette, Suzanne Turcotte, Nancy Coulombe
Design de la couverture : Matthieu Fortin
Mise en page : Sylvie Valois
ISBN 978-2-89565-709-5
Première impression : 2008
Dépôt légal : 2008
Bibliothèque et Archives nationales du Québec
Bibliothèque Nationale du Canada

Éditions AdA Inc.
1385, boul. Lionel-Boulet
Varennes, Québec, Canada, J3X 1P7
Téléphone : 450-929-0296
Télécopieur : 450-929-0220
www.ada-inc.com
info@ada-inc.com

Diffusion
Canada :   Éditions AdA Inc.
France :   D.G. Diffusion
              Z.I. des Bogues
              31750 Escalquens —France
              Téléphone : 05.61.00.09.99
Suisse :   Transat – 23.42.77.40
Belgique :   D.G. Diffusion – 05.61.00.09.99

Imprimé au Canada

Participation de la SODEC.
Nous reconnaissons l'aide financière du gouvernement du Canada par l'entremise du Pro-
gramme d'aide au développement de l'industrie de l'édition (PADIÉ) pour nos activités
d'édition.
Gouvernement du Québec - Programme de crédit d'impôt pour l'édition de livres - Gestion
SODEC.

**Catalogage avant publication de Bibliothèque et Archives nationales du Québec et
Bibliothèque et Archives Canada**

Katie, Byron
    Investiguez vos pensées, changez le monde
    Traduction de: Question your thinking, change the world.
    ISBN 978-2-89565-709-5

    1. Morale pratique - Citations, maximes, etc. 2. Acceptation de soi - Citations, maximes, etc.
I. Titre.

BJ1581.2.K3714 2008   170'.44   C2008-941069-6

À Bob, Dana,
Ross, Roxann et Scott

TABLE DES MATIÈRES

INTRODUCTION

Les citations contenues dans ce livre ne sont que des rappels. En réalité, vous êtes vous-même la sagesse que vous cherchez. Je crois que nous possédons tous une même sagesse et que personne d'autre n'est plus sage que vous. Vous pouvez trouver cette sagesse en effectuant le Travail (que je décris ci-après). Il s'agit d'un moyen d'entrer en vous-même et de puiser dans cette sagesse à votre gré. Si vous croyez avoir un problème, vous êtes confus. Entrez en vous-même pour y trouver ce qui est vrai pour vous : c'est le remède, c'est la liberté. C'est la liberté dont je jouis.

Ce que j'aime du Travail, c'est qu'il nous permet de nous recueillir et de découvrir notre propre liberté, d'expérimenter ce qui existe en nous : la sagesse immuable, toujours accessible, toujours présente. Le Travail vous permet d'atteindre ce lieu, comme si vous rentriez chez vous. Vous n'avez pas besoin de maître. Demander, c'est recevoir. Et maintenant, vous savez quoi demander. N'attendez de réponse de personne et ne croyez pas un mot de ce que je raconte. Accordez-vous votre propre sagesse. Vous créez votre propre souffrance et vous avez le pouvoir d'y mettre fin. C'est aussi simple que ça.

À PROPOS DU TRAVAIL

Le Travail est un processus d'investigation simple mais puissant qui vous apprend à repérer et à interroger les pensées stressantes qui engendrent toute la souffrance du monde. Il suffit d'appliquer quatre questions à une pensée stressante afin de comprendre ce qui vous blesse, de mettre fin à votre stress et à votre souffrance. C'est efficace pour ceux qui y sont ouverts et cela a un effet profond sur tous les aspects de leur vie. L'effet se répercute non seulement sur votre vie, mais sur celle de votre partenaire, de vos enfants et des enfants de vos enfants.

Une pensée est inoffensive, à moins d'y croire. Ce ne sont pas nos pensées, mais bien l'*attachement* à celles-ci qui cause la souffrance. S'attacher à une pensée signifie croire qu'elle est vraie, sans se poser de questions. Une croyance est une pensée à laquelle nous nous attachons, souvent depuis des années.

La plupart des gens estiment qu'ils sont ce que leurs pensées leur disent qu'ils sont. Un jour, j'ai remarqué que je ne respirais pas — j'étais respirée. Je me suis aussi rendu compte, avec étonnement, que je ne pensais pas — j'étais pensée — et que ce processus n'était pas personnel. Vous levez-vous le matin en décidant : «Aujourd'hui j'ai l'intention de ne pas penser»? C'est trop tard, vous pensez déjà! Les pensées arrivent tout simplement. Elles surgissent de nulle part et y retournent, tels des nuages se mouvant dans un ciel bleu. Elles passent, sans s'arrêter. Elles ne posent aucun danger, jusqu'à ce que nous nous y attachions, comme si elles étaient vraies.

Personne n'a jamais pu maîtriser ses pensées, même si plusieurs racontent qu'ils y sont parvenus. Je ne me défais pas de mes pensées — je les aborde avec compréhension, ensuite *elles* m'abandonnent.

METTRE L'ESPRIT SUR PAPIER

Dans la première étape du Travail, il s'agit d'écrire vos pensées stressantes concernant tout événement présent, passé ou futur de votre vie. Ce peut être à propos d'une personne que vous détestez ou de circonstances liées à quelqu'un qui vous met en colère, vous effraie ou vous attriste. (Le livre *Aimer ce qui est* contient une fiche de travail intitulée « Jugez votre prochain ». Vous pouvez aussi en imprimer une à partir du site www.thework.com[1].)

Depuis des milliers d'années, nous avons appris à ne pas juger — mais soyons honnêtes, nous le faisons constamment. Des jugements circulent dans chacun de nos esprits. Dans le Travail, nous avons enfin la permission de laisser ces jugements s'exprimer — et même de les hurler — sur papier. Peut-être découvrirons-nous que même les pensées les plus désagréables peuvent être accueillies avec un amour inconditionnel.

Je vous suggère d'écrire à propos d'une personne à qui vous n'avez pas encore tout pardonné. C'est la meilleure manière de démarrer. Même si vous lui avez accordé votre

---

1. Ce site n'est pas disponible en français. Le titre anglais de cette fiche est *Judge Your Neighbor*.

pardon à 99 pour cent, vous n'êtes pas libre tant que tout n'est pas pardonné. Ce un pour cent non pardonné est le lieu même où vous êtes bloqué dans vos autres relations (incluant celle avec vous-même).

Si le Travail est nouveau pour vous, je vous conseille fortement de ne pas écrire sur vous au début. Si vous commencez en vous jugeant, vos réponses seront souvent teintées d'anciennes considérations et de solutions inefficaces. Juger une autre personne, passer ce jugement à l'investigation et l'inverser est le chemin direct vers la liberté. Vous pourrez vous juger plus tard, quand vous aurez pratiqué l'investigation assez longtemps pour faire confiance au pouvoir de vos vérités personnelles.

En pointant d'abord l'index du blâme vers l'extérieur, l'accent n'est pas mis sur vous. Vous avez alors l'occasion de vous laisser aller sans aucune censure. Souvent, nous avons une bonne idée de ce que les autres devraient faire, de la manière dont ils devraient vivre et des partenaires qu'ils devraient avoir. Notre vision est parfaite quand nous regardons les autres, mais pas nous-mêmes.

Quand vous faites le Travail, vous percevez qui vous êtes en observant qui vous croyez que les autres sont. Finalement, vous comprenez que tout à l'extérieur de vous est un reflet de votre pensée. Vous êtes le scénariste, la personne qui projette toutes les fictions, et le monde est l'image projetée de vos pensées.

Depuis le début des temps, les êtres humains ont tenté de changer le monde pour être heureux. Cela n'a jamais fonctionné parce que le problème est abordé à l'envers. Le

Travail nous donne un moyen de changer le projecteur — l'esprit — plutôt que l'image projetée. C'est comme s'il y avait une poussière sur la lentille du projecteur. Nous croyons qu'il y a un défaut sur l'écran et nous essayons de changer quiconque nous semble imparfait. Pourtant, il est futile de vouloir changer les images qui apparaissent. Dès que nous découvrons où se trouve la poussière, il ne nous reste qu'à nettoyer la lentille. La souffrance prend alors fin et c'est le début d'une vie dans la joie, au paradis.

LES QUATRE QUESTIONS ET L'INVERSION

Le Travail peut s'appliquer à toute pensée qui fait naître de la colère, de la peur, de la tristesse ou de la frustration — toute pensée qui vous empêche de vivre dans la paix. Des pensées telles que « Ma mère ne m'aime pas », « Mon patron ne m'apprécie pas », « J'ai de l'embonpoint », « Je dois mener une vie plus saine », « Mes enfants devraient m'obéir » ou « Mon frère devrait cesser de boire » traversent notre esprit plusieurs fois par jour. Quand vous croyez ces pensées, vous souffrez ; mais quand vous les interrogez, vous découvrez ce qui vous fait mal en réalité. Lorsque vous comprenez la différence entre ce qui est réel et ce qui ne l'est pas, vous vous mettez naturellement à agir avec clarté et efficacité et à mener la vie que vous avez toujours voulu vivre.

Après avoir rempli les espaces sur la fiche de travail « Jugez votre prochain », vous devez interroger chacun de vos énoncés à l'aide des quatre questions du Travail, puis inverser chacun. (L'inversion est un moyen d'expérimenter le contraire de ce que vous croyez.)

Voici une pensée stressante : « Mon mari ne m'écoute pas. »

Les quatre questions :
1. Est-ce vrai ?
2. Puis-je avoir la certitude absolue que c'est vrai ?
3. Quelle réaction suscite en vous cette pensée ?
4. Qui seriez-vous sans cette pensée ?

Appliquez tour à tour chaque question à la pensée stressante. Assoyez-vous dans le calme et posez-vous la question, puis attendez ; laissez la réponse venir de l'intérieur.

Après avoir posé les quatre questions, inversez l'énoncé en formulant son contraire. Par exemple, l'inversion de « Mon mari ne m'écoute pas » serait « Mon mari m'écoute. » Trouvez ensuite trois exemples vrais de cette affirmation. D'autres inversions sont possibles, entre autres : « Je ne m'écoute pas » et « Je n'écoute pas mon mari. » Pour chaque inversion, trouvez trois exemples.

Quand vous investiguez vos pensées stressantes, vous finissez par constater que tout ce qui vous a posé problème n'est qu'un malentendu. Vous vous rendez compte que ce que vous croyez n'est pas nécessairement vrai. C'est le début de la liberté. Le Travail fait toujours de vous un être humain plus aimable, plus lucide et plus heureux.

À PROPOS DE L'AMOUR, DE LA SEXUALITÉ ET DES RELATIONS

Rien en dehors de vous ne peut vous donner ce que vous cherchez.

※

Quand nous commençons à questionner nos pensées, notre partenaire de vie — vivant, mort ou ex — est toujours notre meilleur guide. Il n'y a pas de méprise possible au sujet de la personne avec qui vous vivez. C'est le maître qui vous convient le mieux, que la relation aille bien ou non. Quand vous entreprenez une investigation, c'est ce qui vous apparaît clairement.

Il n'y a pas d'erreur dans l'Univers. Ainsi, si votre partenaire est fâché, bien. Si vous considérez certaines de ses particularités comme des défauts, c'est bien parce que ce sont les vôtres, que vous projetez. Vous pouvez les noter, les investiguer et vous en libérer. Les gens vont en Inde à la recherche d'un gourou, mais ce n'est pas la peine : vous vivez avec un gourou. Votre partenaire vous offrira tout ce qui est nécessaire pour trouver la liberté.

❀

Quand vous n'aimez pas une personne, vous souffrez, car l'amour est votre essence même. Et vous ne pouvez vous *forcer* à le faire ! Vous ne pouvez vous forcer à aimer quelqu'un. Mais quand vous parvenez à vous aimer, vous aimez l'autre personne. C'est automatique. Tout comme vous ne pouvez vous forcer à aimer, vous ne pouvez vous forcer à ne pas aimer. C'est ce que vous projetez.

❀

Les personnalités n'aiment pas ; elles veulent quelque chose. L'amour ne demande rien. Il est complet en lui-même. Il ne veut rien, n'a besoin de rien, n'a pas de souhait (ni même pour le bien de l'autre). Ainsi, quand j'entends des gens dire qu'ils aiment une personne et veulent être aimés en retour, je sais qu'ils ne parlent pas d'amour mais d'autre chose.

❀

Je ne peux être fâchée contre mon partenaire sans souffrir. Et cela ne me paraît pas naturel, ni harmonieux. Accueillir mon partenaire avec compréhension me ressemble davantage. Ainsi, quand surgit une pensée, puis-je l'accueillir avec compréhension ? Une fois que j'ai appris à aborder mes pensées avec compréhension, je peux aussi aller vers l'autre avec compréhension.

Que pouvez-vous dire à mon sujet que je n'ai pas encore pensé ? Il *n'y a pas* de nouvelles pensées ; elles sont toutes recyclées. Nous n'accueillons rien d'autre que des pensées. L'extérieur est une projection de l'intérieur. Peu importe qu'il s'agisse de votre pensée ou de la mienne. Accueillons-la avec compréhension. Seul l'amour guérit.

Toute notre vie, nous jetons le blâme sur notre partenaire. Puis, quand nous entreprenons une investigation, nous perdons. C'est un choc énorme… qui se révèle une grâce. Gagner, c'est perdre. Perdre, c'est gagner. Tout va dans les deux sens.

Quand vous acceptez votre part dans ce que votre partenaire vous a fait, c'est une vraie bénédiction. Vous ressentez l'humilité, sans la moindre volonté de vous défendre. Cela vous laisse complètement vulnérable. Une délicieuse vulnérabilité dont vous vous délectez.

Mon amour est *mon* affaire ; il n'a rien à voir avec vous. Vous m'aimez, et ce n'est pas personnel. Vous racontez une histoire disant que je suis ceci ou cela et vous tombez amoureux de votre histoire. En quoi cela me concerne-t-il ? Je suis ici pour votre perception, comme si j'avais le choix. Je suis votre histoire, ni plus ni moins. Vous ne m'avez jamais rencontrée. Personne n'a jamais rencontré qui que ce soit.

Ce n'est pas votre tâche de m'aimer — c'est la mienne.

Si vous croyez la pensée « Mon mari devrait me comprendre » et qu'en réalité il ne vous comprend pas, c'est une recette pour être malheureuse. Vous pouvez tout faire pour l'amener à vous comprendre et il finira toujours par comprendre ce qu'il comprend. Et s'il vous comprend, qu'obtenez-vous ? Juste une validation que votre histoire est vraie. Ce qu'il dit comprendre, ce n'est même pas vous parce que, comme vous manipulez sa compréhension, il ne peut que comprendre l'histoire que vous racontez. Ainsi, même au mieux, vous n'êtes pas comprise. Nous n'entendons pas ce que vous nous dites ; nous entendons ce que nous croyons que vous nous dites. Nous imposons notre histoire sur ce que vous dites et c'est ce que nous comprenons. Vos pensées sont-elles ce pour quoi vous punissez votre mari ?

J'aime bien raconter cette histoire qui est arrivée vers 1997, à une époque où je voyageais quotidiennement pour faire connaître le Travail partout dans le monde, jour après jour, et que j'étais constamment à bord d'avions, de trains et d'automobiles. Un soir où j'étais exténuée, je suis montée dans un avion. C'était un vieux coucou — tout ce que je pouvais me permettre. Je me suis assise à côté d'un homme, j'ai pris sa main, l'ai posée sur mes genoux et je me suis endormie. Je n'ai eu aucun scrupule parce que je savais ce qu'il était vraiment, je savais qu'il m'aimait, même si nous ne nous étions jamais rencontrés. Quelques heures plus tard, quand je me suis réveillée, il tenait toujours ma main. Il a été très charmant. Il ne m'a jamais demandé mon nom.

Mais il n'était pas plus charmant que la valise qui est tombée du compartiment de rangement pour aboutir sur ma tête lors d'un autre vol. J'ai senti comme un baiser en m'effondrant. Comment savoir que j'avais besoin d'un coup sur la tête ? Parce que c'est ce qui est arrivé ! Il n'y a pas d'erreur. Quand vous savez que tout ce dont vous avez besoin c'est ce que vous obtenez, la vie devient un paradis. Les circonstances sont parfaites. Tout ce dont vous avez besoin, et même davantage, vous est toujours fourni, en abondance.

Quand j'entre dans une pièce, je sais que tous les gens qui s'y trouvent m'aiment. Mais je ne m'attends pas à ce qu'ils en soient déjà conscients.

La seule possibilité d'être compris par quelqu'un consiste à vous comprendre vous-même. C'est un emploi à temps plein. Ainsi, si vous procédez à une investigation et découvrez que ce que vous voulez, c'est ce qui est, vous mettez fin à toutes décisions au sujet de l'autre personne. À ce stade, vous ne décidez plus. Nul besoin de prendre une décision pour torturer l'autre jusqu'à ce qu'il vous comprenne. Il continue de vous montrer que sa compréhension ne vous regarde pas.

Quel exemple prouve que vous n'êtes pas aimable ? Le rejet ? Si quelqu'un vous rejette — et il ne peut le faire que parce que vous ne correspondez pas à ses croyances sur l'image du monde qu'il souhaite — cela n'a rien à voir avec vous. Seul un gros ego pourrait affirmer que cela vous concerne. Imaginez que votre main vient de bouger sans raison et qu'il décide que cela a tel ou tel sens. Avez-vous l'audace de penser que vous y êtes pour quelque chose ? Vous n'avez jamais ce pouvoir. S'il crie après vous et que vous percevez que ce n'est pas de l'amour, c'est *vous* qui vous faites souffrir, pas lui. Et si en vous-même vous hurlez qu'il ne devrait pas crier après vous, c'est de là que vient le mal, non pas du fait qu'il crie après vous. Vous vous opposez à la réalité, et vous perdez.

❀

Quand vous parlez ou agissez en vue de plaire, d'obtenir ou de garder quelque chose, d'influer sur quelqu'un ou d'exercer un contrôle, la peur en est la cause et la conséquence sera la souffrance. La manipulation est une séparation et la séparation est douloureuse. Une personne peut vous aimer entièrement en cet instant et vous n'auriez aucun moyen de vous en apercevoir. Si vos actions sont motivées par la peur, vous ne pouvez recevoir d'amour parce que vous êtes pris dans une pensée à propos de ce que vous devez *faire* pour être aimé. Toute pensée stressante vous sépare des autres.

❀

Un oui malhonnête est un non à vous-même.

❀

Quand une pensée vous fait souffrir, c'est le signe qu'elle n'est pas vraie.

❀

Examinez ce que vous estimez être un défaut chez votre partenaire et remarquez les occasions qu'il vous offre de l'apprécier. Si vous n'arrivez pas à voir ces occasions, la colère finira par vous pousser à quitter votre partenaire — ou peut-être votre absence de progrès fera-t-elle croître votre frustration et en viendrez-vous à vous attaquer mentalement à elle ainsi qu'à vous-même. Ces attaques que vous expérimentez en cours de route ne sont que des zones à investiguer, c'est tout. Si vous percevez clairement les occasions d'apprécier l'autre, vous grandirez sans fin dans l'amour. Et votre partenaire suivra, tout comme le reste du monde.

La réalité se déploie à la perfection. Tout ce qui arrive est bon. Je vois des gens et des choses et quand il me revient d'aller vers eux ou de m'en éloigner, j'avance sans réserve parce qu'il n'y a aucune histoire crédible me motivant à agir autrement. Et c'est toujours parfait. Une décision m'apporterait moins, toujours moins. Ainsi, la décision se prend d'elle-même et je suis. Ce que j'aime, c'est que c'est toujours bon. Si je devais décrire cette expérience en un mot, je l'appellerais «gratitude». Gratitude source de vie, souffle de vie. Je suis un récipient et je ne peux empêcher la grâce de s'y déverser.

C'est en cherchant l'amour que vous perdez la conscience de l'amour. Toutefois, vous ne pouvez que perdre sa conscience et non son état. Cette option est exclue car l'amour, c'est ce que nous sommes tous. C'est immuable. Quand vous investiguez vos pensées stressantes et que votre esprit s'éclaircit, l'amour se déverse dans votre vie et vous n'y pouvez rien.

Un matin, une amie — tellement courageuse — était assise dans ma chambre. Des larmes coulaient sur son visage et elle répétait : « Je t'aime, Katie. Je t'aime. » Cette femme n'avait aucune dignité. J'ai vu l'amour qu'elle se portait réfléchi à travers moi. Elle l'a vu aussi. Puis, je lui ai dit : « N'est-ce pas merveilleux d'aimer aussi intensément en sachant que tu ne seras jamais déçue ? »

Parfois, vous semblez échanger cet amour contre l'histoire qui se profile dans l'instant. Comme si vous faisiez un petit détour dans une illusion. Mais quand vous investiguez votre histoire, vous revenez là où vous êtes toujours.

Quand je ne recherche pas l'approbation à l'extérieur de moi-même, je demeure approbation. Si je cherche votre approbation, je ne me sens pas à l'aise intérieurement. Et par l'investigation, j'en suis venue à voir que je veux que vous approuviez ce que approuvez parce que je vous aime. Ce que vous approuvez, voilà ce que je veux. C'est l'amour — et il ne changerait rien. Il a déjà tout ce qu'il désire. Il *est* déjà tout ce qu'il désire, exactement tel qu'il le désire.

Tous les conseils que vous puissiez donner à votre partenaire s'adressent d'abord à vous.

Votre partenaire est votre miroir. En dehors de la manière dont vous le percevez, il n'existe même pas pour vous. Il est ce que vous voyez qu'il est et, en bout de ligne, ce n'est que vous, en train de penser. Ce n'est que vous, encore, encore et encore et c'est ainsi que vous demeurez aveugle à vous-même et que vous vous sentez justifié et perdu. Il est douloureux de penser que votre partenaire n'est qu'un reflet de vous. Vous ne voyez pas votre partenaire ; vous ne voyez que ce que vous croyez à son sujet. Ainsi, quand vous lui trouvez des défauts, ayez la certitude que ce sont les vôtres. Ces défauts sont les vôtres parce que c'est vous qui les projetez.

Si vous dites à votre mari que vous l'aimez, qu'est-ce que cela a à voir avec lui ? Vous ne faites que lui dire qui vous êtes. Vous racontez combien il est beau, fascinant et sexy et vous aimez cette fiction à son sujet. Vous projetez qu'il est votre histoire. Et quand il ne vous donne pas ce que vous voulez, peut-être racontez-vous une histoire dans laquelle il est méchant, dominateur et égoïste — mais qu'est-ce que cela a à voir avec lui ?

Si mon mari me dit : «Je t'adore», je pense : *Bien. J'aime qu'il pense que je suis sa femme idéale. Comme il doit en être heureux !* Si jamais il me disait : «Le jour où je t'ai épousée a été le plus triste de ma vie», qu'est-ce que cela aurait-il à voir avec moi ? Cette fois, il ne ferait qu'entretenir un rêve triste et je pourrais penser : *Oh, le pauvre chéri, il fait un cauchemar. J'espère qu'il va bientôt s'éveiller. Ce n'est pas personnel.* Comment cela pourrait-il me concerner ? Je l'aime et si ce qu'il affirme à mon sujet n'est pas vrai selon mon expérience, je n'ai qu'à lui demander si je peux faire quelque chose pour lui. Si je peux le faire, je le fais ; mais si ce n'est pas honnête envers moi, je ne le fais pas. Il reste avec son histoire.

Vous vivez avec Dieu qui se présente sous les traits de votre mari, et il vous montrera toutes vos zones grises ; il vous donnera tout ce dont vous avez besoin pour vous libérer. C'est l'amour. Quand vous voyez Dieu dans votre partenaire, votre Travail devient très simple.

Toutes les chansons d'amour sont bien inspirées si nous gardons à l'esprit ce que nous aimons vraiment. Si le «tu» d'une chanson est une personne, alors c'est un mensonge. Cette chanson ment certainement puisque nous ne pouvons nous réaliser pleinement avec une autre personne. Nous sommes toujours ramenés à nous-mêmes. Quand nous voyons Dieu dans le «tu» des chansons, nous découvrons à quel point elles sont vraies. Toute chanson d'amour est écrite pour Dieu par Dieu.

11

Lorsque vous manipulez constamment votre partenaire pour qu'elle vous aime, toutes vos actions ont ce motif, même une invitation au restaurant. C'est très douloureux. La conscience est une chose merveilleuse, et attendez-vous à la manipuler encore parce que quand vous amorcez une investigation, vos modèles habituels changent et vous vous transformez en point d'interrogation. Il est extrêmement excitant de ne pas savoir qui vous êtes en dehors de vos motifs. Et quand vous entreprenez le Travail, vous pouvez l'inviter au restaurant, sans limitation. Ou encore, vous pouvez ne pas l'inviter au restaurant, sans limitation. C'est ainsi. Vous vous aimez totalement et elle n'a pas besoin de participer ; il n'y a donc plus de motif dans « Je t'aime ». Sans motif, la souffrance disparaît. Vos pensées à propos de ce qu'elle pensait de vous constituaient votre enfer.

Vous deviez vous amplifier pour correspondre à toutes vos croyances à propos de ce que vous pensiez qu'elle pensait ; et vous deviez être Superman. Et quand elle faisait l'amour avec vous, vous le preniez comme une validation de vos idées délirantes.

Si mon mari me disait : « Reste à la maison avec moi, je ne veux pas que tu sois avec des gens » et si je savais que je devais être avec des gens, je dirais : « Merci, chéri, je comprends pourquoi tu dis ça. Et je vais fréquenter des gens maintenant. » Je l'aurais ainsi accueilli avec une certaine compréhension, égale à la sienne. Et je vais fréquenter des gens maintenant. Je lui dirais ce que j'appelle la vérité, rien que la vérité. «J'ai besoin de fréquenter des gens maintenant» fait partie de cette vérité. Le reste de cette vérité, c'est «Je t'aime». «Je t'aime, et je vais fréquenter des gens maintenant.» Cependant, si j'avais besoin de quelque chose de lui, si je voulais son approbation, les circonstances seraient différentes. C'est pourquoi j'inverse la situation — je veux *mon* approbation. Et si je me sacrifiais pour son approbation, je me sentirais malhonnête ; je ne serais pas en paix. Je ne traiterais pas mon mari selon ma nature si je recherchais son approbation ou son amour. Ce ne serait pas gentil. Et si je ne suis pas gentille avec lui, je ne le suis pas avec moi.

Quand vous vous ouvrez à l'amour, vous perdez tout votre monde. C'est fini. L'amour ne laisse rien. Il est totalement avide. Le nier nous ferait souffrir. Créer une frontière est un acte d'égoïsme. Il n'y a rien que vous ne donneriez pas à qui que ce soit si vous n'aviez pas peur. Et vous ne pouvez le faire en devançant le moment opportun. Vous n'avez pas à donner quoi que ce soit pour l'instant ; vous n'avez qu'à investiguer vos pensées, à faire le Travail. Lorsque vous abordez vos pensées avec compréhension, vous vous rendez compte qu'il n'y a rien à perdre. Donc nul besoin de tenter de se protéger. C'est ainsi que donner tout ce que vous avez devient un privilège.

13

Ce n'est pas de l'amour que d'exclure quelque chose qui se présente dans votre univers. L'amour s'unit à tout. Il n'exclut pas le monstre. Il n'évite pas le cauchemar — il l'attend.

Si je veux l'amour, je ne peux l'avoir. Je *suis* l'amour, et tant que je le chercherai chez l'autre, je ne pourrai le connaître. T'aimer crée une séparation. Je *suis* l'amour, et c'est ainsi que je m'en rapproche le plus.

L'amour dit : «Je t'aime quoi qu'il arrive.» L'amour dit : «Je t'aime tel que tu es.» Et c'est tout ce qui peut guérir ; c'est le seul moyen de s'unir. Si vous pensez que l'autre est censé être différent de ce qu'il est, vous ne l'aimez pas. À ce moment, vous aimez la personne qu'il sera lorsque vous aurez fini de le manipuler. Vous le rejetez tant qu'il ne correspond pas à l'image que vous vous faites de lui.

Vous ne pouvez décevoir un autre être humain. Et un autre être humain ne peut vous décevoir. Vous croyez l'histoire qui raconte que votre partenaire ne vous donne pas ce que vous voulez et vous vous décevez vous-même. Si vous voulez quelque chose de votre partenaire et qu'il vous le refuse,

c'est la réalité. Il reste *vous*. Et vous pouvez toujours v
l'accorder.

🧠

Vous souffrez simplement du fait de croire qu'il manque
quelque chose dans votre vie. En réalité, vous avez toujours
ce qu'il vous faut.

🧠

Les gens croient qu'une relation les rendra heureux, mais
il est impossible d'obtenir le bonheur des autres ou de quoi
que ce soit d'extérieur à vous. Une relation est l'union de
deux systèmes de croyances, confirmant qu'il y a quelque
chose à l'extérieur de vous pouvant vous apporter le bonheur. Quand vous accordez foi à cette idée, dès que votre
système de croyances commun ne vous convient plus, vous
perdez l'autre puisque c'est ce que vous possédiez en commun. Ainsi, quand vous progressez, vous délaissez ce vieux
système de croyances qui, pour vous, représentait l'autre
personne et l'expérimentez ensuite comme une séparation
et une souffrance.

🧠

Nous sommes l'amour et nous n'y pouvons rien. L'amour
est notre nature. C'est ce que nous sommes quand nous
laissons tomber nos histoires.

...e, l'amour n'est rien d'autre qu'un accord. ...accord avec vous, vous m'aimez. Et dès que je ...suis plus d'accord, dès que je remets en question l'une de vos croyances sacrées, je deviens votre ennemie; dans votre esprit, vous divorcez de moi. Puis, vous vous mettez à chercher toutes les raisons pour lesquelles vous avez raison et vous restez concentré à l'extérieur de vous. Quand vous êtes concentré sur l'extérieur et pensez que votre problème est causé par quelqu'un d'autre plutôt que par votre attachement à l'histoire que vous croyez à cet instant, vous êtes alors votre propre victime et la situation vous semble désespérée.

Vous ne pouvez aimer qui que ce soit; vous n'aimez que l'histoire que vous vous racontez à son sujet.

J'aime bien raconter l'histoire de Roxann, ma fille. Un jour, elle m'a téléphoné pour m'inviter à la fête d'anniversaire de mon petit-fils. Je lui ai répondu que j'avais déjà un engagement dans une autre ville. Elle était tellement blessée et fâchée qu'elle m'a raccroché au nez. Puis, environ 10 minutes plus tard, elle m'a rappelée pour m'annoncer : « Je suis tellement excitée, maman, je viens d'appliquer la méthode du

Travail et je me suis rendu compte qu'il n'y a rien que tu puisses faire pour m'empêcher de t'aimer.» Voilà ce que nous offre la technologie du Travail. Il n'y a rien que vous puissiez faire pour empêcher quelqu'un de vous aimer. Et il n'y a rien que quelqu'un puisse faire pour vous empêcher de l'aimer. Ce n'est pas personnel. C'est ce que vous êtes.

Chaque fois que vous souhaitez obtenir de la sympathie, vous tentez d'amener une personne à croire à votre mythologie. Et cela fait toujours mal.

Une relation, c'est deux personnes qui sont d'accord, qui apprécient leurs histoires réciproques. Nous appelons cela «l'amour». Et quand notre partenaire ne croit pas à notre histoire sacrée, celle sur laquelle nous fondons notre identité, nous divorçons. Si quelqu'un dit que je ne suis pas gentille, je cours vers mon mari et lui dis : «Chéri, untel a dit que je n'étais pas gentille.» Il me serre alors dans ses bras, caresse mon visage et me dit : «Eh bien, ce n'est pas vrai. Bien sûr que tu es gentille!» Je n'ai donc pas à m'interroger pour découvrir en quoi cette critique est vraie. Je vais vers mon allié pour me défendre et sa sympathie est pour moi de «l'amour». Si je rentre à la maison, que je dis : «Quelqu'un a dit que je n'étais pas gentille», qu'il me répond : «Eh bien, tu sais il t'arrive de *ne pas* être gentille; je peux te donner des exemples» et que je préfère qu'il soit d'accord avec moi plutôt qu'il me dise la vérité, je me sens blessée et en colère. Je vais alors trouver un ami qui sera *d'accord* avec moi. Cela fonctionnera peut-être, mais tôt ou tard la souffrance deviendra insoutenable. Je devrai alors m'arrêter et m'interroger pour me libérer. Mon mari ne peut m'offrir cela. Cette possibilité m'appartient.

Quand vous adhérez à la pensée que tout le monde devrait vous aimer, voilà que la souffrance commence. Je dis souvent : «Si j'avais une prière, ce serait "Dieu, épargne-moi du désir d'amour, d'approbation, d'estime. Amen."» Chercher l'amour et l'approbation des autres sous-entend que vous n'êtes pas complet.

La seule relation valable est celle que vous entretenez avec vous-même. Quand vous vous aimez, vous aimez la personne avec qui vous êtes toujours. À moins de vous aimer, vous ne serez pas à l'aise avec une autre personne parce qu'elle remettra en question votre système de croyances et, jusqu'à ce que vous procédiez à l'investigation, vous devrez lutter pour le défendre. Voilà ce qu'il en est des relations. Les gens concluent des marchés tacites entre eux, se promettant de ne jamais attaquer leurs systèmes de croyances réciproques mais, évidemment, ce n'est pas possible.

Comment réagissez-vous quand vous pensez avoir besoin de l'amour des autres ? Devenez-vous un esclave pour obtenir leur approbation ? Vivez-vous une vie non authentique parce que vous ne pouvez supporter l'idée qu'ils puissent vous désapprouver ? Essayez-vous de deviner ce qu'ils voudraient que vous soyez et tentez-vous de vous y conformer, tel un caméléon ?

En fait, vous n'obtenez jamais vraiment leur amour. Vous devenez quelqu'un que vous n'êtes pas et quand ils disent : « Je t'aime », vous ne pouvez les croire puisqu'ils aiment une façade. Ils aiment une personne qui n'existe même pas, celle que vous prétendez être. Il est difficile de chercher l'amour des autres. C'est mortel. En le cherchant, vous perdez ce qui est authentique. C'est la prison que nous nous créons en cherchant ce que nous possédons déjà.

L'amour sentimental raconte l'histoire de votre besoin d'une autre personne pour vous compléter. C'est une histoire complètement folle. D'après mon expérience, je n'ai besoin de personne pour me compléter. Dès que j'en prends conscience, tout le monde me complète.

19

Tout sentiment de blessure ou de malaise ne peut être causé par une autre personne. Personne d'autre que moi ne peut me blesser. Ce n'est pas possible. Ce n'est que lorsque je crois une histoire que je suis blessée. Et je cause ma propre souffrance en croyant ce que je pense. Voilà une très bonne nouvelle car cela signifie que je n'ai pas besoin d'intervenir auprès d'une autre personne pour qu'elle cesse de me blesser. Moi seule peux cesser de me faire souffrir. Cela fait partie de mon pouvoir.

⁂

Tout est égal. Cette personne-ci et cette personne-là, cela n'existe pas. Il n'y a que Un. Et c'est la dernière histoire. Peu importe la façon dont vous tentez de vous dissocier, ce n'est pas possible. La pensée que vous croyez est une tentative de briser le lien. Mais ce n'est qu'une tentative. Cela ne peut s'accomplir. Voilà pourquoi le malaise est si grand. C'est une tentative de vous identifier en tant que «je». Et c'est une tâche à temps plein, jusqu'à ce que vous cessiez de l'accomplir.

⁂

Seul vous-même pouvez vous bannir du paradis. Donc, si vous êtes Adam et que vous comptez sur Ève pour vous compléter, vous venez de vous bannir du paradis. Vous pourriez seulement expérimenter votre propre nature, qui est de vous aimer, et ainsi de l'aimer, sans séparation.

Cependant, si vous voulez quelque chose d'elle, si vous pensez avoir besoin de son amour ou de son approbation, vous souffrez. Il n'y a qu'une seule façon dont je puisse vous utiliser pour me compléter, et c'est de vous juger, d'investiguer et d'inverser la situation.

※

La plus grande perte que vous ayez jamais subie est le plus grand cadeau que vous puissiez posséder.

※

Qui seriez-vous en présence des autres, dépouillé de votre histoire selon laquelle tout le monde devrait se préoccuper de vous en tout temps ? Vous seriez l'amour lui-même. Quand vous croyez ce mythe que les gens devraient s'intéresser à vous, vous perdez votre intérêt envers les autres et vous-mêmes. L'amour ne vient pas de l'extérieur ; il ne peut que venir de vous. Je le sais parce que c'est vraiment ce qui se produit.

Un jour, je marchais dans le désert avec un homme qui a eu un accident vasculaire cérébral. Nous nous sommes assis et il a dit : »Oh mon Dieu, je suis en train de mourir, fais quelque chose.» Je suis simplement restée là, à côté de lui, à l'aimer, à le regarder dans les yeux, consciente que nous nous trouvions à des kilomètres d'un téléphone ou d'une automobile. Il a dit : « Cela ne te fait rien, n'est-ce pas ? » J'ai dit : « Non.» Un seul côté de sa bouche bougeait quand il parlait car l'autre était paralysé, et quand j'ai dit non, il s'est mis à rire, et moi aussi. Puis, ses facultés sont revenues. L'accident était terminé. Voilà le pouvoir de l'amour. Je n'allais quand même pas l'abandonner pour commencer à m'en préoccuper.

Vous n'avez jamais réagi à une autre personne. Vous projetez du sens sur du vide. Rien n'est séparé de vous. Et vous réagissez au sens que vous avez projeté. La solitude vient d'un lieu honnête — vous êtes la seule personne ici. Il n'y a pas d'humains ici. Il n'y a que vous. Ce monde n'existe même pas. Quand vous investiguez vos pensées et cessez de croire à vos projections, c'est ce que vous réalisez. C'est la fin du monde. La fin d'un monde qui n'a jamais existé de toute façon.

Je suis toujours ce que je juge que vous êtes à tel moment. Il n'y a pas d'exception. Je suis ma propre souffrance. Je suis mon propre bonheur.

Tant que vous croyez à tel ou tel concept, vous l'imposerez à votre mari, à votre femme, à votre amoureux, à vos enfants. Tôt ou tard, quand vous n'aurez pas obtenu ce que vous attendiez d'eux ou qu'ils menaceront ce que vous croyez posséder, vous leur imposerez ce concept jusqu'à ce qu'ils l'acceptent avec une certaine ouverture. Ce n'est pas une approximation, c'est vraiment ce que nous faisons. Nous ne sommes pas attachés aux personnes, mais aux concepts.

Rien ne peut vous faire perdre quelqu'un que vous aimez. Croire une pensée est tout ce qui peut vous faire perdre votre mari. Voilà comment vous vous éloignez de lui. Voilà comment le mariage prend fin. Vous ne faites qu'un avec votre mari jusqu'à ce que vous croyiez qu'il devrait avoir telle apparence, vous donner quelque chose ou être différent de ce qu'il est. Voilà comment vous divorcez. Et c'est ainsi que vous ruinez votre mariage.

Avez-vous remarqué comme vous êtes heureuse quand votre partenaire fait ce que vous voulez ? Ainsi, vous devez devenir dominatrice pour le maintenir dans une position où il fait toujours ce que vous voulez. Je dis : soyez reconnaissante quand il fait ce que vous voulez ; et quand il ne le fait pas, passez par-dessus l'intermédiaire et faites-le vous-même.

23

Tant que vous n'êtes pas loyal envers vous-même, vous ne pouvez l'être envers une autre personne.

Se défendre est un premier pas vers la guerre. Si vous me dites que je suis méchante, fermée, dure, peu aimable ou injuste, je réponds : «Merci, mon bon ami, je peux trouver toutes ces caractéristiques dans ma vie, j'ai été tout ce que vous dites, et encore davantage. Dites-moi tout ce que vous voyez et ensemble nous pouvons m'aider à comprendre. Grâce à vous, j'apprends à me connaître. Sans vous, comment puis-je découvrir ce qui en moi est peu aimable et invisible? Vous me révélez à moi-même. Donc, cher ami, regardez-moi dans les yeux et répétez-moi tout encore. Je veux que vous me donniez tout.»

C'est ainsi que les amis se rencontrent. Cela s'appelle l'intégrité. Je suis toutes choses. Si vous me percevez comme peu aimable, cela me donne une occasion de plonger en moi pour examiner ce qui se présente dans ma vie. Ai-je manqué d'amabilité? Je peux le découvrir. Ai-je déjà agi injustement? Il ne me faut pas beaucoup de temps pour le reconnaître. Si mes idées ne sont pas claires à ce sujet, mes enfants peuvent me donner des détails. De quoi pourrait-on me qualifier que je n'ai pas été à un moment de ma vie? Si vous me dites une seule chose que je m'empresse de défendre, voilà la perle en moi qui attendait d'être découverte.

Personne ne peut vous quitter — vous seul le pouvez. Quel que soit l'engagement de votre partenaire, votre engagement est ce sur quoi vous pouvez compter, jusqu'à ce qu'il change. Un engagement à long terme n'est que pour l'instant présent. Même si quelqu'un vous dit qu'il vous sera toujours fidèle, jamais vous ne pouvez en être sûre, parce que tant que vous croyez qu'il existe un « vous » et un « lui », ce n'est qu'une personnalité qui s'engage à une personnalité. Et les personnalités n'aiment pas, elles désirent quelque chose.

Tant que vous ne pouvez être heureuse de son départ, pour *son* bien (qui est le vôtre), votre Travail n'a pas été fait. Il est donc bien que vos pensées vous éveillent au milieu de la nuit, recroquevillée en une boule de terreur. Effectuez le Travail à partir de ces projections si puissantes. Vous créez votre propre liberté. Examinez votre vie avec lui, ce que vous avez fait pour vous assurer qu'il pense que vous étiez « la bonne personne ». Vous avez perdu votre vie ; vous pensez que vous n'avez plus de vie sans lui. C'est bien qu'il vous quitte. Vous aurez ainsi la chance de découvrir qui vous êtes vraiment.

Un jour, j'ai rencontré un homme qui effectuait le Travail depuis un certain temps. Sa femme était tombée amoureuse d'un autre homme et plutôt que de sombrer dans la tristesse et la panique, il a interrogé ses pensées. « Elle devrait rester avec moi — Est-ce vrai ? Je ne peux le savoir. Comment est-ce que je réagis quand je crois cette pensée ? Je suis extrêmement bouleversé. Qui serais-je sans cette pensée ? Je l'aimerais et voudrais qu'elle soit heureuse. » Cet homme voulait vraiment connaître la vérité. En investiguant ses pensées, il a trouvé quelque chose d'extrêmement précieux.

« Finalement, m'a-t-il dit, j'ai pu voir que cet événement *devait* arriver, puisqu'il arrivait. Et j'ai été capable de dire à ma femme : "Raconte-moi tout, comme si j'étais ta meilleure amie." Elle n'avait pas à censurer quoi que ce soit pour me protéger. C'était surprenant de l'entendre parler de son expérience. J'ai senti tellement de joie pour elle. Cela a été l'expérience la plus libératrice de ma vie. »

Sa femme est allée vivre avec l'autre homme et il l'a accepté car il ne voulait pas qu'elle reste avec lui contre son gré. Quelques mois plus tard, elle vivait une situation de crise avec son nouvel amoureux et avait besoin de parler. Elle s'est adressée à son meilleur ami — son mari. Calmement, ils ont discuté de ses options. Il l'aimait vraiment et espérait tout simplement qu'elle découvre ce qu'elle voulait vraiment. Elle a décidé de vivre toute seule le temps de clarifier ses idées ; puis, finalement elle est revenue avec lui.

Durant cette période, chaque fois que cet homme se trouvait mentalement en guerre contre ce qui se passait et qu'il souffrait ou avait peur, il investiguait la pensée à laquelle il accordait foi à ce moment et retrouvait un état d'esprit calme et joyeux. Il a fini par comprendre que son seul problème possible venait de ses propres pensées non remises en question. Sa femme lui donnait tout ce dont il avait besoin pour créer sa propre liberté.

❁

Un engagement est votre vérité, ni plus ni moins. Vous vous engagez à votre propre vérité. « Je t'aime, t'honore et t'obéis ; et je peux changer d'idée. » C'est ainsi. Je ne suis mariée qu'à Dieu — vraiment. C'est là où je m'engage, pour le meilleur et pour le pire. Ce ne peut être à une personne en particulier. Et mon mari ne voudrait pas qu'il en soit autrement. Ainsi, à moins d'épouser la vérité, il n'y a pas de mariage réel.

❁

Comment vous comporteriez-vous si vous n'éprouviez pas votre souffrance et votre malheur ? Je vous invite à vous interroger sérieusement. Comment serait votre vie si vous souriiez en tout temps, si vous étiez toujours libre ? Cela signifierait que vous ne pourriez avoir d'emprise sur les gens ni les manipuler — cette idée malsaine ne vous viendrait même pas à l'esprit. Voici comment vous manipulez les autres : « Tu devrais être avec moi » ou « Si tu t'en vas, je vais être malheureuse. » Vous utilisez ces pensées pour nous amener à accepter votre histoire qui raconte que le malheur existe en ce monde, même si la vérité c'est qu'essentiellement vous êtes amour, que vous le vouliez ou non.

C'est facile de le découvrir car dès que vous vous éloignez de l'amour, vous souffrez.

Nous nous marions à nous-mêmes, sinon il n'y a pas de mariage. C'est la seule aventure amoureuse qui soit réelle. Je suis mariée en moi-même, je m'aime, et c'est ce que je projette sur tout le monde. Je suis amoureuse de ce qui est, et je ne veux rien d'autre. Je sais seulement que je veux être ici avec vous maintenant. Je *suis* ici avec vous — voilà comment je sais que je veux être. Ce n'était pas planifié ; c'est simplement en train de se déployer. Je vous aime complètement et vous n'avez même pas besoin de participer ; il n'y a donc pas de motif à ce «je vous aime». N'est-ce pas merveilleux ! Je peux vous aimer complètement et vous n'ayez rien à y voir. Il n'y a rien que vous puissiez faire pour m'empêcher de vivre l'intimité que j'expérimente avec vous. Quand vous entretenez une croyance stressante à propos de votre partenaire, vous vous êtes séparé de vous-même, vous avez divorcé de vous-même ; vous avez donc divorcé de lui et cela vous fait souffrir. Quand vous vous éloignez de vous pour aller vers votre partenaire, vous divorcez de vous-même.

Ainsi, quand nous n'avons aucune croyance au sujet de ce que devrait être la réalité, nous sommes véritablement mariés et nous ne souffrons pas. C'est interne. Il n'existe pas d'autre type de relation.

Je ne peux éprouver votre souffrance. Ce n'est pas possible. Si quelqu'un vous frappe et que je crois que je «sens» ce coup, je projette ce que j'imagine qu'il vous fait, et *ceci* est la douleur que je ressens. Je me rappelle une fois où quelqu'un m'a frappée et je revis ma propre histoire. En réalité, il n'y a pas de souffrance pour moi. Nous ne sommes pas deux dans cette douleur, juste un. Qui serais-je sans mon histoire? Libérée de la souffrance, heureuse et totalement disponible si quelqu'un avait besoin de moi.

J'entends des gens dire que la compassion signifie sentir la douleur d'une autre personne, comme si cela était possible. Et comment êtes-vous le plus présent, le plus disponible — quand vous souffrez ou quand vous êtes libre et heureux? Quand une personne souffre, pourquoi voudrait-elle que vous souffriez aussi? Ne serait-il pas plus souhaitable pour elle que vous soyez totalement présent et disponible?

Comment pouvez-vous être présent pour les autres si vous croyez que vous sentez leur souffrance? Si une automobile renverse quelqu'un et que vous êtes terrorisé, projetant ce que vous pensez que la personne ressent, vous devenez paralysé. Toutefois, il arrive que dans une telle crise l'esprit perde ses références. Il ne peut plus rien projeter; vous ne pensez pas, vous agissez tout simplement, vous accourez pour repérer l'auto avant même d'avoir eu le temps de sentir, de planifier ou de penser *Ce n'est pas possible*. Cela arrive en une fraction de seconde. Qui seriez-vous sans votre histoire? L'automobile s'envole dans les airs.

«Si vous aimiez une personne de tout cœur, vous souhaiteriez avoir des relations sexuelles avec elle.» Pouvez-vous avoir la certitude absolue que cela est vrai? Que se produit-il quand vous croyez la pensée que vous ne pouvez vous rapprocher d'un homme sans qu'intervienne la dimension sexuelle? Comment vous sentez-vous quand vous pensez que vous devez vous retenir d'aimer? Qui seriez-vous sans votre histoire «Si je m'abandonne dans ses bras, cela deviendra sexuel»? Vous seriez vous, naturellement. Voilà un état très douloureux, la peur de soi-même. Grâce au pouvoir de l'investigation, vous prenez conscience que vous êtes l'amour. Vous n'y pouvez rien.

Un engagement est ma vérité du moment. Et si je veux un engagement, je ne le trouverai qu'à l'intérieur de moi à l'instant présent. Si je veux qu'une autre personne s'engage à moi ou si je veux m'engager à une autre personne, c'est sans espoir parce que c'est la personnalité qui s'engage à la personnalité; et comme je le dis souvent, les personnalités n'aiment pas, elles veulent quelque chose. Quand je m'engage à quelque chose, je respecte mon engagement en me réservant le droit de changer d'idée.

L'engagement est un chemin merveilleux. Il se vit un moment à la fois. À un moment, je fais une promesse et au suivant, je peux changer d'idée. Je tiens parole jusqu'à ce que je cesse de le faire. Et les gens me disent que d'après leur expérience je respecte mes engagements. Si quelqu'un dit le contraire, je réponds : « N'est-ce pas intéressant ! J'ai changé d'idée ou en fait, mon *idée* a changé. Ce n'est pas moi qui agis, cela se fait en moi. Je vois que vous croyez vraiment que j'aurais dû respecter mon engagement. La situation a changé. Et, si nous attendons, elle peut encore changer. » C'est possible. Et ce n'est pas moi qui agis.

Comment savez-vous que vous n'avez pas besoin d'un partenaire amoureux ? Vous n'en avez pas. Comment savez-vous que vous en avez besoin d'un ? Il est juste là ! Dans ce domaine, ce n'est pas vous qui décidez. C'est préférable ainsi. Vous pouvez alors vous donner tout à vous-même. Pourquoi avez-vous besoin d'un partenaire ? Pour assouvir votre faim ? Est-ce vrai ? Durant toute votre vie adulte, vous avez cru avoir besoin d'un partenaire et vous avez encore faim. Combien de partenaires vous faut-il donc pour vous combler ? Je ne vous dis pas que vous n'avez pas besoin d'un partenaire. Je vous parle de votre vérité personnelle. Entrez en vous-même et expérimentez-la. Ayez besoin de *vous-même*, que vous trouviez ou non un partenaire. Entre-temps, vous n'attendez que vous.

Voulez-vous rencontrer l'amour de votre vie? Regardez dans le miroir.

Comment traitez-vous votre mari quand vous voulez qu'il vous aime? Voyez-vous une raison dépourvue de contraintes pour laquelle vous voulez qu'il — ou toute autre personne sur cette planète — vous aime? Si j'entretiens la pensée que je veux que mon mari m'aime, ce n'est pas de l'amour. Je veux qu'il aime quiconque il aime. C'est la même chose pour moi puisque c'est ce qu'il fait. Je sais que je ne peux réorienter son amour; je ne suis plus dupe. Les gens appellent cela de l'amour, mais moi je ne suis qu'une amoureuse de ce qui est. Je connais la joie d'aimer, je sais aussi que je ne dois pas me mêler de la façon dont il oriente son amour. Je n'ai qu'à l'aimer.

Avez-vous remarqué que souvent vous tentez de contrôler ce qui arrive en donnant plutôt qu'en recevant? Que se passe-t-il quand vous vous contentez de recevoir? L'acte de recevoir, c'est l'acte de donner. C'est ce que vous pouvez donner en retour de plus authentique. Quand une personne vient m'embrasser, je n'ai pas à l'embrasser à mon tour. Recevoir — vous pouvez mourir dans cet instant. Recevoir, c'est mourir à la souffrance et renaître dans l'amour et la joie.

J'ai eu le privilège d'être mariée à une personne qui ne s'intéressait pas à l'investigation. Et si j'avais cru qu'il avait besoin du Travail, *j'aurais* eu besoin du Travail. Si j'avais cru qu'il avait besoin de me faire confiance, *j'aurais* eu besoin de *lui* faire confiance. Et j'avais confiance en lui. J'avais confiance qu'il allait faire exactement ce qu'il a fait. Je ne pouvais donc que me diriger vers un mariage parfait. Si je ne l'avais pas aimé de tout mon cœur, j'aurais été folle. Cela n'avait rien à voir avec lui. Et cela ne signifiait pas que je devais vivre avec lui.

Ce que vous craignez tant de perdre, vous l'avez déjà perdu. Peut-être ne vous en êtes-vous pas encore aperçu, et il vous faudra sans doute du temps pour en faire le deuil, puis peut-être réaliserez-vous qu'il n'y a jamais eu quoi que ce soit à perdre.

Croire en l'histoire que quelqu'un vous a quittée, c'est vous quitter vous-même. Voilà comment vous divorcez de vous-même. Chaque fois que vous vous mêlez des affaires de votre partenaire, lui dictant avec qui il devrait être, qui il devrait ou ne devrait pas quitter, vous vous êtes quittée vous-même et il en résulte de la solitude et de la terreur. Tant que vous n'investiguez pas vos croyances, vous demeurez la cause innocente de votre souffrance.

Ma voix intérieure, voilà ce à quoi je suis mariée. Tous les mariages sont une métaphore de cette union. Mon amoureux, c'est le lieu d'où émerge un oui ou un non honnête. Voilà mon vrai partenaire. Il est toujours présent. Et vous dire oui quand mon intégrité dit non, c'est divorcer de ce partenaire.

Quelqu'un qui affirme : « Je devrais m'aimer » ne sait ce qu'est l'amour. L'amour est ce que nous sommes déjà. Ainsi, penser que vous devriez vous aimer alors que vous ne vous aimez pas est un pur délire. L'inverse n'est-il pas plus vrai ? « Je ne devrais pas m'aimer. » Comment savez-vous que vous ne devriez pas vous aimer ? Vous ne vous aimez pas ! Voilà ce qu'il en est, pour l'instant. La vérité ne respecte pas les concepts spirituels. « Je devrais m'aimer » — euh, sur quelle planète ? L'amour n'est pas un acte. Il n'y a rien à faire. Et quand vous investiguez votre esprit, vous comprenez que la seule chose qui vous empêche d'être l'amour, c'est une pensée stressante.

Quand vous savez qui vous êtes, il n'y a personne avec qui vous ne pouvez vous accorder. Il suffit d'une personne, et cette personne, c'est vous. Vous pouvez vous rendre au centre-ville, choisir un parfait étranger, l'épouser et mener une vie heureuse. Vous êtes toujours avec le partenaire parfait.

Je ne veux pas l'approbation des autres. Je veux que les autres pensent comme ils pensent. Cela s'appelle l'amour. Manipuler quelqu'un et essayer de le changer, c'est comme tenter de violer son esprit. «Toi, cesse de te recueillir en toi-même et concentre-toi sur moi, ici! Je suis absolument certaine qu'il est dans ton meilleur intérêt de m'approuver. C'est ce que je veux et ce que tu veux m'importe peu.» Cependant, vous n'avez pas d'emprise sur les pensées d'une autre personne. Vous n'avez même pas d'emprise sur les vôtres. De toute façon, il n'y a pas de personne qui pense. C'est une maison en miroirs. Vouloir l'approbation signifie que nous sommes pris dans la pensée «Je suis ceci», cette petite particule, cette chose limitée.

En vous épousant, vous nous épousez. Nous sommes vous. Voilà la blague cosmique.

Si mon mari me demande : « Veux-tu m'apporter une tasse de thé, s'il te plaît ? », je sais quelle est ma joie — il vient de me la révéler. Voilà comment je sais ce que je dois faire. Je sais comment je me sens quand il m'apporte une tasse de thé, la joie et la gratitude que ce geste simple me fait ressentir. La croyance qu'il devrait aller lui-même la chercher ou qu'il m'utilise ou encore que ce n'est pas mon tour — c'est ce qui fait souffrir. Aucune croyance ne peut résister à l'investigation, aucune investigation authentique ne peut faire de moi autre chose que de l'amour. Je suis à mon service. Lui donner ce qu'il veut, c'est me l'offrir à moi-même.

La réalité c'est que sans histoire, vous n'avez pas de sexe — vous n'êtes ni homme, ni femme, pas même un être humain. Vous n'êtes ni ceci ni cela. Ce n'est pas ceci ou cela, c'est bien davantage. Cela comprend tout ; cela ne pose même pas de question. Il n'y a pas de question dans le vide ; il n'y a que l'expérience que nous en faisons. Et pas même cela.

Nous utilisons notre beauté, notre intelligence, notre charme, pour entraîner une personne dans un partenariat, comme s'il était un animal. Et quand il veut sortir de la cage, nous sommes furieux. Cela ne m'apparaît pas très attentionné.

Ce n'est pas l'amour de soi. Je veux que mon mari veuille ce qu'il veut. De plus, j'ai remarqué que je n'avais pas le choix. C'est l'amour de soi. Il fait ce qu'il fait, et je l'apprécie. C'est ce que je veux, car quand je suis en guerre contre la réalité, je souffre.

❀

Il y a beaucoup à dire sur la monogamie. C'est le symbole ultime de l'unité parce que votre esprit reste concentré sur une seule personne importante. Ne vous reste qu'à supprimer tout ce qui l'entoure, chaque histoire qui vous vient à l'esprit à son sujet. La monogamie est sacrée car dans cet état l'esprit peut être très paisible.

Une personne vous fera vivre l'expérience que un million de gens pourraient vous offrir. Il n'y a qu'un esprit. Votre partenaire soulèvera chaque concept connu de l'humanité, sous toutes ses formes, afin que vous puissiez enfin vous connaître. Si seulement vous pouvez apprendre à aimer la personne avec laquelle vous êtes, vous avez trouvé l'amour de soi.

❀

Si vous n'y rattachez pas de croyances, la sexualité s'apparente à la respiration ou à la marche. C'est la beauté ; c'est vous. Toutefois, quand vous l'abordez en y recherchant soit la satisfaction, l'extase, l'intimité, une appartenance et une histoire d'amour, ne vous attendez pas à les trouver.

«Une érection indique que vous êtes sexuellement excité» — est ce vrai? En avez-vous la certitude? Croyez-vous tout ce que vous pensez? Qu'est-ce que cela signifie vraiment? C'est une érection. Voilà tout. L'histoire que vous racontez à son sujet provoque votre souffrance. Par exemple, si vous croyez que votre érection doit être mise quelque part, mais que vous ne lui trouvez aucun endroit, vous souffrez. Si vous ne croyez pas la pensée que vous devez en faire quelque chose, vous vous unissez simplement à elle, vous devenez cette érection et cela se transforme en une expérience complète — le début, le milieu et la fin. Pas d'orgasme, pas d'éjaculation, juste un beau pénis en érection, venant de nulle part et n'ayant aucune destination.

Votre partenaire n'a rien à voir dans votre expérience de la relation sexuelle — rien du tout. Vous lui touchez et vous racontez une histoire pour expliquer ce que cela signifie. Il vous touche et vous racontez une histoire pour expliquer ce que cela signifie, puis vous vous ouvrez ou vous vous fermez. Si vous croyez la pensée qu'il ne vous touche pas de la bonne façon, vous vous fermez. Vous pensez savoir quelque chose. En vérité, c'est Dieu qui fait l'amour avec Dieu et il n'y a pas de règles. Et si vous voulez participer, soyez entièrement présente. Votre partenaire n'est pas censé participer, il n'est que votre histoire :» C'est un bon amant», «C'est un mauvais amant », «Il pense ceci», «Il pense cela», «S'il m'aimait vraiment, il…» Et ainsi de suite. Et ce ne sont que vos histoires.

Avez-vous déjà vraiment fait l'amour sans votre histoire? Jamais. Personne ne l'a jamais fait. Nous possédons tous une histoire au sujet de ce qu'est la sexualité. Vous vous efforcez de la faire correspondre à votre histoire : c'est bon, c'est mauvais, vous êtes un bon amant, vous êtes un mauvais amant, il devrait faire ceci, il devrait faire cela. Vous êtes constamment en train d'essayer de vous conformer à votre histoire. Durant les relations sexuelles, vous entretenez des croyances sur la personne qu'il est et celle que vous êtes, sur le sens que vous accordez à vos caresses et aux siennes, ainsi qu'aux sensations et aux émotions. Vous créez un scénario à partir de tout cela, que vous jugez bon ou de mauvais. Qui seriez-vous sans votre histoire? Vous seriez libre. Ne pas savoir est ce que je préfère. Et la vérité c'est que vous *ne savez pas*. Sans votre histoire, vous feriez l'amour et l'apprécieriez ou vous ne feriez pas l'amour et l'apprécieriez. Ce serait simplement ce qui est.

Personne n'est malade mentalement, personne n'est frigide : ce ne sont que des termes que nous utilisons pour nous séparer, pour rester dans la confusion. Vous racontez une histoire pour définir les hommes et la sexualité, et vous vous paralysez. Vous n'êtes pas frigide ; vous êtes attachée à une fiction que vous ne remettez pas en question. Interrogez vos croyances et découvrez quel type d'amante vous serez. Cela n'a rien à voir avec le plaisir sexuel. Quand vous abordez vos pensées avec compréhension, vous vous accueillez vous-même. Vous devenez votre propre amante. En bout de ligne, voilà avec qui nous faisons l'amour.

Si jamais mon mari avait une aventure et que je n'étais pas d'accord, je dirais : « Chéri, je comprends que tu aies une aventure et je remarque que quand c'est le cas, quelque chose en moi tend à s'éloigner de toi. Je ne sais ce que c'est ; je sais seulement que c'est ainsi. Cela reflète ton éloignement de moi et je veux t'en informer. » Ensuite, s'il devait poursuivre son aventure, préférer passer son temps avec une autre femme, peut-être remarquerais-je que je m'éloigne mais je n'aurais pas à le quitter dans la colère.

Il n'y a rien que je puisse faire pour rester avec lui, et il n'y a rien que je puisse faire pour divorcer de lui. Ce n'est pas moi qui tire les ficelles. Je pourrais rester avec lui ou je pourrais divorcer de lui dans un état amoureux total et penser *C'est fascinant ; nous nous sommes promis de vivre ensemble pour toujours et voilà que je divorce maintenant.* Et je rirais probablement, aimant qu'il ait ce qu'il veut, et je continuerais ma vie puisque aucune guerre n'aurait lieu en moi. Et une autre femme divorcerait de son mari en pensant *Il n'aurait pas dû avoir cette aventure, il me fait souffrir, il ne me mérite pas, il n'a pas respecté sa promesse, il n'a pas de cœur.* D'une manière ou de l'autre, le mouvement est le même; seule l'histoire diffère. D'une manière ou de l'autre vous ferez le voyage. Voici la question qui se pose : *comment* le ferez-vous? Allez-vous batailler et crier ou vous retirerez-vous avec dignité, générosité et paix? Vous ne pouvez dicter votre comportement, vous ne pouvez jouer la comédie et vous ne pouvez vous forcer à être spirituelle et tendre. Soyez simplement honnête et investiguez vos pensées. Puis, quand les gens diront : «C'est terrible, ce divorce», vous finirez peut-être par répondre : «Je comprends pourquoi vous le voyez ainsi, mais ce n'est pas du tout mon expérience.»

L'amour ne refuserait pas un souffle. Il ne refuserait pas un grain de sable ou de poussière. Il est entièrement amoureux de lui-même et il se plaît à se reconnaître par sa propre présence, de toutes les manières, sans aucune limite. Il embrasse tout, du meurtrier au violeur, jusqu'au saint, au chat et au chien. L'amour est si vaste en lui-même qu'il vous consumera. Il est si vaste que vous ne pouvez rien faire avec lui. Vous ne pouvez que l'*incarner*.

La différence entre le plaisir et la joie? Oh… entre les deux, la distance s'étend d'ici à la Lune! D'ici à une autre galaxie!

Le plaisir est une tentative de vous combler. La joie, c'est ce que vous êtes.

Il n'existe pas de moyen de vous unir à votre partenaire, sinon de vous libérer de la croyance que vous désirez quelque chose de lui et de vous dévouer entièrement à lui. Voilà la vraie union. Notre nature est de donner, mais nous sommes dans la confusion en ce qui concerne ce qu'il nous faut donner. La vérité que vous expérimentez, c'est la manière dont je m'unis à vous; c'est votre façon de me toucher, et vous me touchez si intimement que j'en ai les larmes aux yeux. Je ne sais ce que vous faites, mais je me suis unie à vous et vous n'avez pas le choix. Et je peux le faire encore, encore et encore, infiniment, sans effort. Cela s'appelle faire l'amour.

Quand vous parvenez à ne plus rien désirer de votre partenaire, c'est comme gagner à la loterie. Si je désire quelque chose de mon partenaire, je dois examiner mes pensées. J'ai déjà tout. C'est notre cas à tous. Voilà pourquoi je peux m'asseoir ici si confortablement : je ne veux rien de vous. Je ne veux même pas votre liberté, si vous n'en voulez pas. Je ne veux même pas votre paix. Mais si vous la voulez, voilà tout ce qu'il me reste de mon désir. Je vais donc vous rejoindre en ce lieu parce que je me rappelle ce qu'était le désir. Et si votre liberté ne vous intéresse pas, alors c'est ce que je désire. Je veux votre paradis, je veux votre enfer, je veux tout ce que vous voulez, parce que je vous aime.

II
À PROPOS DE LA SANTÉ,
DE LA MALADIE ET DE LA MORT

Toute histoire porte sur une identification à un corps. Sans histoire, il n'y a pas de corps.

✾

Le corps ne réfléchit pas, ne s'inquiète pas ; il n'a pas de problème avec lui-même. Il ne s'en veut jamais, ne s'humilie jamais. Il tente tout simplement de préserver son équilibre et sa santé. Il est entièrement efficace, intelligent, bon et débrouillard. En l'absence de pensée, il n'y a pas de problème. C'est l'histoire que nous tenons pour vraie — avant de procéder à l'investigation — qui provoque la confusion. J'élabore un scénario sur mon corps et, parce que je n'ai pas recouru à l'investigation, je crois qu'il est la source du problème et que si seulement tel ou tel aspect changeait, je serais heureuse. Pourtant, mon corps n'est pas responsable de ma souffrance.

❀

Votre corps n'est pas votre affaire. Si vous avez besoin d'un médecin, allez en consulter un. C'est ainsi que vous vous libérez. Votre corps est l'affaire de votre médecin. Ce qui *vous* concerne, c'est votre attitude mentale. Et avec une attitude paisible, vous savez clairement ce qu'il faut faire. C'est alors que le corps devient vraiment un plaisir parce que vous n'êtes investi ni dans sa vie ni dans sa mort. Ce n'est rien de plus qu'une métaphore de votre pensée qui vous est reflétée.

❀

Si je perds tout mon argent, c'est bien. Si j'ai le cancer, c'est bien. Si mon mari me quitte, c'est bien. S'il reste avec moi, c'est bien aussi. Qui ne dirait pas toujours oui à la réalité, si c'est d'elle que nous sommes amoureux ? Que peut-il arriver que je n'accueillerais pas de tout mon cœur ?

❀

Je ne change pas et je ne perçois de changement en vous que si vous me dites qu'il y en a. Vous êtes ma vie intérieure. Vous êtes la voix de mon essence, m'informant de ma santé en tout temps. La santé ou la maladie — j'accepte l'une et l'autre. Vous êtes triste, vous n'êtes pas triste ; vous ne comprenez pas, vous comprenez ; vous êtes paisible, vous êtes troublé ; vous êtes ceci, vous êtes cela. Je suis chaque cellule qui parle d'elle-même. Et au-delà de tout changement, je sais que chaque cellule est toujours en paix.

Pour les gens qui ne peuvent plus supporter la douleur, il n'y a rien de pire que d'essayer de contrôler ce qui ne peut être contrôlé. Si vous voulez une véritable emprise, laissez tomber l'illusion de l'emprise ; laissez la vie vous guider. Elle le fait de toute façon. Vous ne faites que raconter l'histoire qui montre le contraire. Cette histoire ne peut être réelle. Vous n'avez pas créé le temps qu'il fait, ni le Soleil ou la Lune. Vous n'avez aucune emprise sur vos poumons, votre cœur ou votre faculté de voir et de marcher. À un moment, vous êtes bien et en bonne santé, et la minute suivante, vous ne l'êtes plus. Quand nous essayons d'éviter les dangers, nous menons notre vie avec une extrême prudence et nous nous retrouvons sans vie. Je conseille souvent aux gens : « Ne faites pas attention ; vous pourriez vous faire du mal. »

Le corps ne désire pas, ne veut rien, ne sait rien, ne s'inquiète pas, n'a ni faim ni soif. Le corps ne fait que refléter ce à quoi l'esprit s'attache — la crème glacée, l'alcool, la drogue, le sexe, l'argent. Il n'y a pas de dépendance physique, seulement des dépendances mentales. Le corps suit l'esprit. Il n'a pas le choix. En réalité, c'est une action simultanée, mais tant que vous expérimentez mentalement la dualité, c'est le corps qui suit l'esprit.

Quel plaisir y a-t-il à être Dieu si je ne peux jeter un coup d'œil sur moi dans le miroir ? Et, que cela me plaise ou non, c'est ce que je suis. Je suis vanité — vanité totale. Ainsi, quand les gens sont attachés à leur apparence ou à leur santé, ce lien vient d'une source honnête, seulement mal interprétée. C'est de l'innocence pure.

Toutes les pensées auxquelles nous nous attachons concernent la survie, et ensuite la santé, le confort et le plaisir. Toute pensée a pour sujet « je » ; c'est votre survie. Ensuite, dès que vous obtenez votre petite maison, votre petite voiture, votre petit bout de gazon, vos pensées se tournent vers l'histoire qui raconte votre besoin d'être en bonne santé et à l'aise. Vous empilez des articles dans un chariot, vous les placez dans votre maison, et dès que vous jouissez du confort, vos pensées se portent sur le plaisir. C'est une identification au corps à grande échelle ; il n'existe aucune pensée qui ne concerne pas le corps. Vous allez donc vers le plaisir quand tout le reste est en ordre. Et tout plaisir est souffrance, parce que vous craignez de le perdre et tentez de le faire durer ou de l'accroître. Vous n'en faites jamais vraiment l'expérience ; vous êtes constamment dans son passé ou son avenir.

J'ai déjà effectué le Travail avec une femme qui avait honte de ses doigts. Elle souffrait d'arthrite rhumatoïde depuis l'âge de 17 ans et selon elle ses doigts étaient déformés. Ils n'étaient pas normaux, pensait-elle, et cette pensée la faisait beaucoup souffrir ; elle était même gênée de les montrer. Toutefois, ses doigts *étaient* normaux ; ils étaient normaux pour *elle*. C'étaient les doigts avec lesquels elle avait vécu depuis l'âge de 17 ans. Depuis 27 ans, c'étaient ses doigts normaux. Seulement, elle ne l'avait pas remarqué.

Comment réagissez-vous quand vous croyez que ce qui est n'est pas normal pour vous ? Par la honte, la tristesse, le désespoir. Qui seriez-vous sans cette pensée ? À l'aise dans votre état, que vous apprécieriez quel qu'il soit, parce que vous comprendriez qu'il est parfaitement normal, pour vous. Même si 99 pour 100 des gens sont différents de vous, ce qui est normal pour eux n'est pas normal pour vous : ce que vous *êtes* est votre état normal. La souffrance de cette pauvre femme était causée par son refus de la réalité et non par ses doigts.

Accordez-nous la permission, par votre reflet, d'avoir un défaut, parce que les défauts sont la norme. Quand vous cachez vos défauts, vous nous enseignez à faire de même. J'aime affirmer que nous n'attendons qu'un maître, juste un, pour nous accorder la permission d'être qui nous sommes présentement, pour que nous puissions tous en arriver à comprendre que c'est ce qui est normal pour nous. Vous apparaissez ainsi présentement. Quel beau cadeau à offrir! Vous cacher, c'est souffrir. Qui peut nous donner la permission d'être libres, sinon vous? Faites-le pour vous-même, et nous suivrons. Nous sommes un reflet de vos pensées et quand vous vous libérez, nous nous libérons tous.

L'important, ce n'est pas la nourriture, l'alcool, la drogue, l'argent ou la santé. Ces symboles ne nous servent qu'à rester identifiés à notre corps. Et en bout de ligne, il ne reste rien.

Votre santé est parfaite, que vous soyez d'accord ou non. Vous racontez que vous êtes censé être plus fort ou en meilleure santé et c'est ainsi que vous évitez de reconnaître que votre état est parfait. Mon état est parfait pour ce que j'ai besoin de savoir actuellement, pour ce que je dois vivre maintenant. L'avenir n'existe pas.

Le corps n'est jamais notre problème. Notre problème est toujours une pensée à laquelle nous adhérons en toute innocence. Le Travail porte sur notre attitude mentale, et non sur l'objet duquel nous croyons être dépendant. Il *n'y a pas* de dépendance à un objet ; il n'y a qu'un attachement au concept non remis en question qui surgit à l'instant présent.

Quand nous sommes malades, nous voulons la sollicitude des autres. Et pourtant nous n'avons pas cette sollicitude envers nous-mêmes puisque nous sommes alités avec une ennemie : la maladie. Tant que nous ne faisons pas la paix avec notre pire ennemie, qui est toujours notre attitude mentale, nous ne pouvons aimer notre partenaire chéri ou notre enfant si précieux. Tôt ou tard, toutes nos pensées au sujet de notre maladie se rattacheront à notre partenaire ou à notre enfant, quand la situation ne sera pas telle que nous la souhaitons ou quand nous craindrons de perdre quelque chose.

Nous ne résistons pas à nos maladies ; nous résistons à nos pensées les concernant. Sans notre histoire, nous ne pouvons avoir de problème. Nous ne pouvons qu'avoir une solution.

Le corps est aussi innocent que les arbres, les fleurs et le souffle.

Il n'y a rien d'autre à faire que guérir et ce n'est pas le corps qui décide. En bout de ligne, le corps ne s'en sortira pas. Voilà une bonne nouvelle — c'est terminé, oublions tout ça, travaillons avec ce que nous avons. Comprenez-vous jusqu'ici ? Si cette histoire de corps était vraie, cela signifierait que les grosses personnes ne pourraient s'épanouir, ni celles en fauteuil roulant, ni les vieillards et les malades, ni quelqu'un qui n'est pas joli. Voilà donc exclue presque l'humanité entière ! Avec cette théorie, pratiquement personne n'a accès à la liberté. Nous attendons tous que notre corps soit parfait pour être en paix. Ne pourrions-nous pas le faire dès maintenant ?

S'il me vient à l'idée de prendre mon œstrogène, je le fais. Si je n'y pense pas, je ne le fais pas. Je suis donc toujours orientée. Et ils disent : «Oh, pauvre créature, elle est morte parce qu'elle n'a pas pris ceci ou cela.» Eh bien, *vous* êtes pris avec cette histoire et je suis libre. Et vous pouvez l'être aussi si vous vous adonnez à l'investigation, parce que tout se résume à l'histoire. Voilà pourquoi il est si merveilleux d'être malade et de vieillir. Il est merveilleux de perdre vos jambes, vos bras, vos yeux ou les êtres qui vous sont chers. Investiguez les pensées stressantes que vous entretenez sur votre état jusqu'à ce que vous voyiez que c'est l'état parfait pour vous.

Quand vous accordez foi à vos pensées, vous violez votre corps en lui disant qu'il devrait être plus beau, en meilleure santé, plus grand, plus court, plus gros, plus mince, plus jeune, plus fort. Vous prenez un corps parfait et le détruisez.

La conscience est tellement plus excitante qu'un corps.

Mon cœur est toujours en bonne santé. Même s'il subissait un infarctus, il serait en bonne santé. Il serait parfait pour cet instant. Qu'il batte vigoureusement ou qu'il ait des ratés, il est comme il se doit. Si vous vous débattez avec ce qui arrive, vous aurez un infarctus qui vous fera très peur. Par contre, en l'absence d'histoire et d'opposition à la réalité, votre crise cardiaque se déroulera dans la paix. « Oh là là, voilà donc comment elle est morte, voilà donc comment l'histoire se termine ! » Un infarctus peut être très excitant. Tout est une question de conscience. La conscience de ce qui est : vous êtes ce mouvement lui-même. (Et pas même cela.)

Quand vous dormez, votre corps souffre-t-il ? Quand la douleur est aiguë, que le téléphone sonne et que vous êtes mentalement concentré sur cet appel que vous attendiez, vous n'avez plus mal. Changez votre pensée et la douleur changera.

✿

Il y a quelques années, en Hollande, j'ai eu une forte fièvre. Le Travail se poursuivait chaque jour. Je travaillais avec des personnes du matin au soir. Et je me suis aperçue qu'à plusieurs reprises lors des pauses, je me recroquevillais dans un coin, exténuée, avec ma fièvre élevée, au paradis. Mon corps n'est pas mon affaire. Si vous ne me dites pas que je suis malade, je n'ai aucun moyen de le savoir. Et dans cette clarté, il me semble que je vais toujours bien. Pas d'histoire : pas de maladie. Il y avait de la neige, il faisait froid, il y avait le ciel, il y avait des gens, il y avait un souffle, il y avait la fièvre, il y avait la fatigue, il y avait la joie — tout ! Sans histoire, je suis libre.

✿

Comment vivez-vous quand vous croyez que vous ne devriez pas avoir de problèmes de santé ? Vous ne pouvez même pas dire la vérité. Vous ne pouvez même pas tousser ou vous moucher honnêtement, ni nous avertir que vous ne vous sentez pas bien. Qui seriez-vous sans votre histoire « Je devrais me sentir mieux » ? Vous seriez libre.

✿

J'aime la vieillesse. Elle détruit tout concept sur la santé. «J'ai 90 ans et je souffre d'arthrite, mais je devrais me mouvoir avec fluidité.» Eh bien, je ne pense pas! Ce genre de pensée est du vrai masochisme. Quand je dis que mon corps devrait bouger avec fluidité, comment je me sens si ce n'est pas le cas?

Il n'y a pas de «vibrations» plus hautes, plus basses ou différentes. C'est l'histoire qui fait une distinction. Il n'existe qu'une seule vibration. Vous êtes en harmonie vibratoire avec tout ce que vous possédez dans le moment présent. Et puisque vous possédez tout, vous êtes en parfaite harmonie. «Si vos vibrations étaient plus élevées, votre santé serait meilleure» — pouvez-vous avoir la certitude absolue que c'est vrai? Comment vivez-vous quand vous croyez que vos vibrations sont trop basses pour guérir votre corps? C'est du masochisme. C'est la guerre. Qui seriez-vous sans cette théorie? Une personne un peu plus détendue, un peu plus prête à guérir.

Le corps n'a pas le pouvoir de vous enlever votre paix. Je préfère être heureuse et laisser le corps faire ce qu'il fait.

Quand vous croyez que vous êtes ce corps, vous restez limité, petit, manifestement encapsulé dans une forme séparée. Ainsi, chacune de vos pensées doit porter sur votre survie, votre confort ou votre plaisir parce que si vous relâchiez votre attention un instant, vous ne seriez plus identifié à votre corps. Quand vous rêvez, vous êtes le rêve en entier et tout ce qu'il contient. C'est inévitable puisque vous êtes le rêveur. Vous êtes sans corps, vous êtes libre — vous êtes un homme, une femme, un chien, un arbre, vous êtes tout simultanément; un instant vous êtes dans la cuisine et le suivant, au sommet d'une montagne; vous êtes à New York et soudain, à Hawaii; rien n'est jamais stable parce qu'il n'y a pas de corps auquel vous identifier; vous ne pouvez vous attacher à une identité. L'esprit est illimité quand aucun corps ne nous représente.

Ce matin, quelqu'un a dit : « J'ai l'impression que vous perdez du poids. » Bien. « J'ai l'impression que vous gagnez du poids. » Bien. « Vous avez l'air vieux. » Bien. « Vous avez l'air jeune. » Bien. Le corps n'est pas mon affaire. Mon attitude mentale l'est. Surveillez donc les pensées masochistes que vous entretenez pour rester identifié à votre corps. Et amusez-vous bien !

Un esprit paisible ne s'inquiète pas d'un corps.

«Votre épaule ne devrait pas faire mal» — est-ce vrai? Elle fait mal exactement comme elle se doit. Elle *doit* faire mal exactement comme elle le fait. Dire qu'elle ne devrait pas est un grossier mensonge. Votre histoire vous maintient dans le temps, l'espace et la dualité. Il n'est pas question de savoir si vous avez raison ou tort. Ici nous faisons face à la réalité. Si vous contredisez la réalité, si vous mentez en toute connaissance de la vérité, vous sentirez le stress. Vous combattez ce que vous êtes. «Je ne devrais pas souffrir autant.» Constatez à quel point cette pensée est douloureuse. Combien de fois vous êtes-vous senti ainsi? J'ai autrefois vécu en permanence avec ce sentiment. C'est ce que j'ai vécu, alitée, pendant des années. Il n'est pas étonnant que vous pleuriez quand vous dites : «Mon épaule ne devrait pas faire si mal», parce que votre épaule *doit* faire aussi mal. Elle doit parce que c'est ce qu'elle fait. C'est la réalité.

Toute croyance est liée à la prudence; elle a pour but de garder le corps vivant. Je ne suis pas prudente. Je ne vis pas comme ça. Je suis heureuse de tout ce qui arrive.

Si vous croyez que certains aliments sont vraiment bons pour vous, que vous aimez les consommer, que vous vous sentez bien quand vous en mangez et que vous avez l'impression de vous témoigner ainsi de l'amour, cela m'apparaît agréable. Cela me semble un mode de vie paisible et honnête. La guerre se déclenche quand vous commencez à croire que les autres devraient aussi s'alimenter de cette façon, votre partenaire et vos enfants par exemple. Vous ne pouvez savoir ce qui leur convient le mieux. Votre carotte est peut-être leur crème glacée. Vous ne connaissez pas leur chemin. Connaissez-vous le vôtre ?

❦

J'ai déjà jeûné pendant 27 jours. Sans aucune raison — je savais que je devais le faire, c'est tout. Durant toutes ces journées, aucune trace d'appétit en moi. La faim n'était qu'un autre mythe. Ma famille et mes amis craignaient pour ma vie, mais je ne m'inquiétais pas ; je me sentais forte et en bonne santé. Pendant toute cette période, je faisais de nombreuses promenades énergiques dans le désert. En aucun temps je n'ai expérimenté autre chose que des mythes à propos de la nourriture, des maux de ventre et de la perte de poids. Je n'arrivais pas à trouver un seul besoin légitime qui ne concernait pas directement la peur de la mort. Ensuite, après 27 jours, sans aucune raison, j'ai mangé.

❦

Il n'y a pas de souffrance dans le monde ; il n'y a qu'une histoire qui vous porte à le croire. Il n'y a pas de souffrance dans le monde qui soit réelle. N'est-ce pas étonnant? Recourez à l'investigation et comprenez-le par vous-même.

※

La souffrance est une amie. Ce n'est pas une chose dont je veux me débarrasser, si je ne le peux pas. J'aime ce qui est. C'est une charmante visiteuse; elle peut rester aussi longtemps qu'elle le souhaite. (Et cela ne veut pas dire que je ne prendrai pas de Tylenol.)

※

«Le yoga fait du bien à mon épaule» — voilà l'une de vos croyances sacrées. Pouvez-vous avoir la certitude que c'est la raison pour laquelle votre épaule ne fait plus mal? Quand vous vous concentrez sur votre épaule, sur l'idée que «le yoga (ou le massage ou le jus de carotte) améliorera votre état», vous vous identifiez à votre corps. La nuit, nous échappons à ces concepts. Nous ne dormons pas, nous nous échappons. Vous craignez la souffrance du corps. Quand le jus de carotte n'est plus efficace, il ne vous reste que votre système de croyances. Et vous tentez de le préserver avec le yoga.

Il n'y a qu'un seul véritable yoga; il est mental et s'accomplit librement. J'aime ce qui est. J'ai testé toutes ces théories et je sais que même si le massage, le yoga, le jus de carotte ou le chiendent officinal sont efficaces actuellement, tôt ou tard j'aurai la grâce de vieillir et d'apprendre qu'ils ne peuvent rien. Ou encore, j'aurai la chance d'attraper une quelconque maladie et toutes ces pensées me rattraperont; je pourrai alors examiner mes concepts stressants. Cela s'appelle la grâce.

Et ne souhaitez-vous pas vivre pleinement? Être libéré du corps, du concept que vous êtes un corps. Il y aura toujours quelque chose qui vous fera souffrir. En bout ligne, vous êtes confronté à vos pensées au sujet de votre corps. Voilà tout ce dont vous disposez pour travailler.

Si vous croyez que l'alcool vous rend malade, confus ou irrité, quand vous en consommez vous ingurgitez donc votre propre maladie. Vous allez à la rencontre de l'alcool, qui produit exactement l'effet escompté. Nous investiguons donc nos pensées, non pas pour mettre fin à l'habitude de boire, mais simplement pour mettre un terme à toute confusion à propos de ce que l'alcool entraînera comme effet. Et si vous êtes sûr de vouloir vraiment continuer à boire, remarquez simplement le résultat de cette habitude sur vous. Observez sans pitié, sans vous victimiser. En bout de ligne, il n'y a même plus de plaisir — juste une gueule de bois.

Je vous suggère de ne pas vous livrer au Travail en ayant comme motif de guérir votre corps. Investiguez pour l'amour de la vérité. Guérissez votre esprit. Abordez vos concepts avec compréhension. Je dis souvent que lorsque vous réussissez à rendre votre corps en parfaite santé, il peut être frappé par un camion. Ainsi, pouvons-nous être heureux tout de suite, et non demain ou dans 10 minutes — pouvons-nous être heureux maintenant? J'utilise le mot *heureux* dans un sens naturel de paix et de clarté. C'est ce que le Travail nous donne.

Même la douleur physique n'est pas réelle; c'est l'histoire d'un passé, qui toujours s'en va, jamais n'arrive. Mais les gens ne le savent pas. Mon petit-fils Racey a fait une chute à l'âge de trois ans et s'est écorché un genou. Il y avait un peu de sang et il s'est mis à pleurer. Lorsqu'il a levé les yeux vers moi, je lui ai dit : «Mon chéri, es-tu en train de te rappeler que tu es tombé et que tu t'es blessé?» Ses pleurs ont cessé immédiatement. C'était fini. Il a dû se rendre compte, à cet instant, que la douleur appartient toujours au passé. Le moment de douleur est toujours terminé. Le souvenir de ce que nous tenons pour vrai projette ce qui n'existe plus. (Je ne dis pas que votre douleur n'est pas réelle pour vous. Je connais la douleur et c'est souffrant! Voilà pourquoi le Travail porte sur la fin de la souffrance.)

Si une automobile vous écrase une jambe et que vous êtes étendu dans la rue à ressasser histoire après histoire dans votre esprit, si le Travail est nouveau pour vous, il est peu probable que vous pensiez *Je souffre* — *est-ce vrai ? Puis-je avoir la certitude absolue que c'est vrai ?* Vous allez crier : « Apportez-moi de la morphine ! » Puis, plus tard, à l'abri du danger, vous pouvez vous installer avec un crayon et du papier pour effectuer le Travail. Après avoir pris des médicaments pour le corps, prenez l'autre type de remède. En fin de compte, vous perdrez peut-être votre jambe, sans y voir de problème. Si vous croyez qu'il y a un problème, votre Travail n'a pas été fait.

Tant que nous croyons être notre corps, nous ignorons que nous sommes infinis, que nos cellules n'ont pas de limite, libres comme la musique.

Craignez-vous de souffrir d'incontinence quand vous serez vieux ? Imaginez que vos intestins se relâchent en public — ce serait normal pour vous. Il n'y aurait pas de problème, sauf si vous croyiez le contraire. Quand cela arrive à un bébé, nous trouvons que c'est mignon, que c'est sain. Qui seriez-vous sans votre histoire ? Si vous croyez qu'il n'est pas convenable que vos intestins se relâchent n'importe où, n'importe quand, votre Travail n'a pas été fait. Si c'est ce dont vous avez besoin, c'est le cadeau que vous offrira la réalité. Tout sert à vous amener à destination.

Certaines personnes croient que si vous êtes malade physiquement, c'est que vous n'êtes pas suffisamment spirituel, que votre esprit n'est pas assez éclairé. Si vous étiez assez éclairé, croient-ils, vous n'auriez pas mal à l'estomac, ni de maladie cardiaque, ni de cancer. J'ignore ce que provoque l'éveil spirituel, mais même quand je suis extatique, mon estomac fait ce qu'il fait. Et cela semble être mon mode de vie. Mon estomac n'est pas mon affaire ; mon attitude mentale l'est, tout en ne l'étant pas. Même dans un état de paix totale, votre corps fait ce qu'il fait. « La maladie n'est pas spirituelle » — pouvez-vous avoir la certitude absolue que c'est vrai ?

Un jour un médecin m'a fait un prélèvement sanguin, puis il est revenu avec un air consterné m'annoncer qu'il avait une mauvaise nouvelle. Il était très désolé, mais j'avais le cancer. Mauvaises nouvelles ? Je n'ai pu m'empêcher de rire. Quand j'ai posé les yeux sur lui, j'ai constaté qu'il était plutôt déconcerté. Ce n'est pas tout le monde qui comprend ce type de rire. Plus tard, on a découvert que je n'avais pas le cancer et c'était aussi une bonne nouvelle.

En réalité, tant que nous ne pouvons aimer le cancer, nous ne pouvons aimer Dieu. Les symboles que nous utilisons importent peu — la pauvreté, la solitude, la perte — ce qui nous fait souffrir, ce sont les concepts de bien et de mal auxquels nous les rattachons. Un jour, j'étais en compagnie d'une amie qui avait une énorme tumeur et à qui les médecins donnaient seulement quelques semaines à vivre. Lorsque j'ai quitté son chevet, elle m'a dit : «Je t'aime» et j'ai répondu : «Non, tu ne m'aimes pas. Tu ne peux m'aimer tant que tu n'aimeras pas ta tumeur. Tout concept que tu appliques à cette tumeur, tu finiras par l'appliquer à moi aussi. Dès que je ne te donnerai pas ce que tu veux ou que je remettrai en question tes croyances, tu appliqueras ce concept à moi.» Cela peut sembler dur, mais mon amie m'avait demandé de toujours lui dire la vérité. Les larmes dans ses yeux étaient des larmes de gratitude, m'a-t-elle dit.

En 1986, au cours d'un massage que je m'étais offert, je me suis soudainement mise à paralyser. J'avais l'impression que tous mes ligaments, mes tendons et mes muscles s'étaient contractés à l'extrême. Ressentant une sorte de rigidité cadavérique, j'étais incapable du moindre mouvement. Durant toute cette expérience, je suis restée complètement calme et gaie, n'ayant aucun scénario racontant que mon corps devait avoir tel ou tel aspect ou se mouvoir avec fluidité. Les pensées défilaient, par exemple : «Oh, mon Dieu, je ne peux plus bouger. Il se passe quelque chose d'horrible.» Cependant, l'investigation qui se déroulait en moi ne me permettait pas de m'attacher à ces pensées. Au ralenti

et exprimé verbalement, ce processus ressemblerait à ceci :
« "Tu ne vas plus jamais marcher" — chérie, peux-tu avoir
la certitude absolue que c'est vrai ?» Les quatre questions
arrivent si rapidement qu'elles finissent par intercepter la
pensée dès qu'elle surgit.

Après environ une heure, mon corps s'est graduelle-
ment détendu et est revenu à ce que les gens appellent un
état normal. Mon corps ne peut poser problème si mon attitude mentale est saine.

***

Comment vivez-vous quand vous adhérez à la pensée que
votre corps devrait être différent ? Comment vous sentez-
vous ? «Je serai heureuse plus tard, quand mon corps sera
guéri.» «Je devrais être plus mince, en meilleure santé, plus
jolie, plus jeune.» Cela relève d'une religion très ancienne.
Si je pense que mon corps devrait être autre que ce qu'il est
présentement, je suis à côté de la plaque. J'ai perdu la tête !

***

Votre remède, c'est tout ce qui vous apparaît maintenant.

***

Comment savez-vous que vous avez besoin du cancer ?
Vous l'avez. Accepter le cancer ne signifie pas s'arrêter et ne
rien faire. Ce serait du déni. Vous consultez les meilleurs

médecins, selon vos moyens, et vous suivez le meilleur traitement disponible. Croyez-vous que votre corps guérira plus facilement quand vous êtes tendu et craintif, à lutter contre le cancer comme si c'était un ennemi ou quand vous aimez ce qui est et prenez conscience de tout ce qui est meilleur dans votre vie à cause de ce cancer, et qu'à partir de ce lieu de paix vous faites tout ce que vous pouvez pour vous rétablir? Rien n'est plus générateur de vie que la paix intérieure.

Cela nous est égal d'avoir le cancer. Cela nous est égal de vivre ou de mourir. Nous voulons juste que l'esprit s'arrête. Et d'après mon expérience, il ne s'arrête pas. Toutefois, nous pouvons l'accueillir avec compréhension et jouir de liberté.

Il y a 19 ans, un médecin a retiré une grosse tumeur de mon visage. J'avais découvert l'investigation — ou l'investigation m'avait trouvée — cette tumeur ne me causait donc aucun problème. Au contraire, j'étais heureuse de la voir arriver et j'ai été heureuse de la laisser partir. En fait, elle était assez impressionnante et avant qu'elle soit retirée, j'aimais me retrouver à l'extérieur, en public. Les gens la regardaient en faisant semblant de ne pas regarder, et cela m'amusait. Parfois une petite fille la fixait du regard et ses parents lui chuchotaient quelque chose en l'attirant ailleurs. Croyaient-ils qu'ils allaient me blesser ou encore que j'étais une sorte de monstre ? Je n'avais pas l'impression d'en être un. Cette tumeur sur mon visage était normale pour moi ; c'était la réalité. Quand je surprenais quelqu'un en train de la regarder, il détournait aussitôt les yeux, puis un peu plus tard, il y revenait, puis détournait les yeux, y revenait, détournait les yeux. Finalement nos regards se croisaient et, tous les deux, nous éclations de rire. Parce que je n'attachais pas d'histoire à la tumeur, il finissait par également la voir ainsi et c'était juste amusant.

※

J'ai une amie qui refuse de prendre des médicaments. Voici ce que je lui ai dit : « Dieu est tout, sauf des médicaments ? » Dieu est aussi médicaments. Aujourd'hui, elle comprend que c'est un privilège de prendre des médicaments. Elle sait que ce n'est pas son affaire qu'ils soient efficaces ou non. Les médicaments disent : « Prendre une fois par jour. » Voilà tout ce qu'elle doit savoir. C'est écrit sur le flacon.

※

« À trois heures du matin, je suis censée dormir » — est-ce vrai ? Je ne pense pas, car je suis complètement éveillée. Quand je me réveille en pleine nuit, je suis très excitée. Qu'y a-t-il de mieux que le sommeil ? L'éveil ! J'aime être étendue au lit au milieu de la nuit, les yeux grands ouverts, parce que c'est ce que je fais. Aucune pensée ne me dit que je devrais faire autre chose. J'aime toutes mes pensées.

Personne ne peut être trop gros ou trop mince. Ce n'est pas possible. C'est un mythe. Cela vous empêche de prendre conscience de ce qui est. C'est la mort de la conscience. Nous ne voulons certainement pas croire de telles pensées, nous ignorons simplement comment penser autrement. C'est pourquoi nous faisons le Travail, et même si notre corps pèse 200 kilos, nous nous sentons plus légers.

Si quelqu'un vous dit : «Vous êtes gros», il a raison. Pouvez-vous le voir? Et voici une chandelle là-bas; que fera-t-elle — mourir de honte? Ne dites pas que je suis une femme, car je vais partir en guerre. Ne dites pas que je suis grande ou petite. Comprenez-vous? Si quelqu'un dit : «Vous devriez perdre du poids», je comprends. J'ai moi-même eu la même pensée. Je vois en quoi il a raison, je l'accepte et m'offre la paix.

Si je perds mon bras droit, comment puis-je savoir que je n'ai pas besoin de deux bras? Je n'en ai qu'un seul. Il n'y a pas d'erreur dans l'Univers. Penser autrement est terrifiant et sans espoir. L'histoire «J'ai besoin de deux bras» entraîne la souffrance parce qu'elle contredit la réalité. En l'absence d'histoire, j'ai tout ce dont j'ai besoin. Je suis complète, même sans bras droit. Au début, peut-être mon écriture sera-t-elle mal assurée, mais elle sera parfaite comme telle. Elle me servira comme j'ai besoin qu'elle me serve, et non de la manière que j'avais imaginée. De toute évidence, en ce monde, il devrait y avoir un maître pour montrer comment être heureux avec un seul bras et une écriture mal assurée. Jusqu'à ce que je sois prête à perdre mon bras gauche, mon Travail n'est pas accompli.

Je ne vous demande pas de négliger votre corps, comme si une telle chose était possible. Je vous invite à en prendre possession, à lui accorder des soins, à scruter vos convictions à son sujet, à les mettre sur papier, à les investiguer et à les inverser.

Quand l'esprit pense à la mort, il contemple le vide et lui donne un nom, pour s'empêcher d'expérimenter ce que, lui, il est vraiment. Tant que vous ne comprendrez pas que la mort est égale à la vie, vous tenterez toujours d'avoir une emprise sur ce qui arrive et vous souffrirez. Il n'y a pas de tristesse sans histoire qui s'oppose à la réalité.

Quand l'esprit quitte un corps, nous le jetons dans la terre et nous nous éloignons.

Qu'est-ce que la mort ? Comment pouvez-vous mourir ?
Qui a dit que vous étiez né ? Il n'y a que la vie d'une pensée
non investiguée. Il n'y a que l'esprit, s'il existe. Vivez avec
les quatre questions pendant quelque temps. C'est ici que
prend fin le monde, jusqu'à ce que ce qui reste revienne
explorer le concept suivant. Avez-vous une continuité après
la mort ? En interrogeant votre esprit, vous découvrez que
ce que vous êtes vraiment se situe au-delà de la vie et de la
mort.

Personne ne sait ce qui est bien et ce qui est mal. Personne ne
sait ce qu'est la mort. Peut-être n'est-elle pas quelque chose ;
peut-être même n'est-elle pas rien. C'est le pur inconnu et
j'aime qu'il en soit ainsi. Nous imaginons que la mort est un
état d'être ou un état de vide et nous nous terrifions avec
nos propres concepts. J'aime ce qui est : j'aime la maladie et
la santé, qui viennent et qui vont, la vie et la mort. Je conçois
la vie et la mort comme égales. La réalité est bonne ; la mort
doit donc être bonne, quelle qu'elle soit, si jamais elle est
quelque chose.

Une croyance est la pire chose qui puisse arriver sur notre
lit de mort. Rien de pire n'est jamais arrivé.

La peur de la mort est le dernier stratagème de la peur de l'amour. Nous pensons craindre la mort de notre corps et en réalité nous craignons la mort de notre identité. Mais grâce à l'investigation, nous finissons par comprendre que la mort n'est qu'un concept, tout comme notre identité, et nous découvrons petit à petit qui nous sommes. Et voilà qu'il n'y a plus de peur.

La perte n'est qu'un concept. J'étais présente à la naissance de mon petit-fils Race. Dès que je l'ai vu, je l'ai aimé. Puis, je me suis aperçue qu'il ne respirait pas. Le médecin affichait un air préoccupé et s'est aussitôt affairé auprès du bébé. Les infirmières se sont rendu compte que les interventions ne donnaient rien et la panique commençait à s'installer. Quoi qu'ils fissent, le bébé ne respirait toujours pas.

Soudain, Roxann m'a regardée dans les yeux et j'ai souri. Par après, elle m'a raconté ceci : «Tu sais, ce sourire qui apparaît souvent sur ton visage? Quand je t'ai vue me regarder ainsi, une vague de paix m'a envahie. Et même si le bébé ne respirait pas, j'acceptais la situation.» Puis, peu de temps après, un souffle a animé mon petit-fils et il s'est mis à pleurer.

J'aime le fait que mon petit-fils n'ait pas eu besoin de respirer pour que je l'aime. Sa respiration était l'affaire de qui? Pas de la mienne. Je n'allais pas manquer un seul moment de sa présence, qu'il respire ou non. Je savais que même sans avoir respiré une seule fois, il avait vécu une vie complète. J'aime la réalité, pas telle que dictée par une fantaisie, mais simplement telle qu'elle est, présentement.

Ce qu'il y a de merveilleux dans la mort, c'est que vous l'accomplissez par vous-même. Vous parvenez enfin à faire quelque chose entièrement tout seul !

Il n'est pas question de décision dans la mort. Les gens qui savent qu'il n'y a pas d'espoir sont libres. La décision ne leur appartient pas. Il en a toujours été ainsi, mais certaines personnes doivent mourir physiquement pour l'apprendre. Pas étonnant qu'elles sourient sur leur lit de mort. La mort est tout ce qu'elles ont cherché durant leur vie. Voilà que prend fin leur illusion d'être maîtres de la situation. Quand il n'y a pas de choix, il n'y a pas de peur. Et c'est là que nous trouvons la paix. Elles se rendent compte qu'elles sont chez elles et que jamais elles n'ont quitté ce foyer.

Les parents et autres membres de la famille des enfants qui sont morts sont particulièrement attachés à leurs histoires, pour des raisons que nous comprenons tous. Délaisser la tristesse ou l'investiguer peut sembler comme une trahison envers l'enfant. Bon nombre d'entre nous ne sommes pas encore prêts à voir la vie autrement, et c'est bien ainsi. Il faut beaucoup de courage pour dépasser l'histoire d'une mort.

Qui pense que la mort est triste ? Qui pense qu'un enfant ne devrait pas mourir ? Qui pense savoir ce qu'est la mort ? Qui tente d'enseigner Dieu, histoire après histoire, pensée après pensée ? Est-ce vous ? Je dis : investiguons si vous en avez envie, et voyons s'il est possible de mettre fin à la guerre contre la réalité.

J'ai souvent été au chevet de personnes mourantes, avec qui j'ai accompli le Travail, et toujours, par après, elles m'ont dit être en paix. Je me souviens d'une femme atteinte de cancer, qui avait très peur. Elle avait demandé que je vienne auprès d'elle et j'avais accepté. Assise près d'elle, je lui ai dit : « Je ne vois aucun problème. » Elle a répondu : « Ah non ? Eh bien, je vais vous en montrer un ! » Puis, elle a retiré le drap qui la couvrait. L'une de ses jambes était si enflée qu'elle était au moins deux fois plus grosse que l'autre. J'ai regardé, j'ai examiné, mais je ne voyais toujours pas de problème. Elle a dit : « Vous devez être aveugle ! Regardez cette jambe et regardez l'autre ensuite. » Et j'ai dit : « Oh, maintenant je vois le problème. Vous souffrez parce que vous croyez que cette jambe devrait ressembler à celle-là. Qui seriez-vous sans cette pensée ?» C'est alors qu'elle a compris. Elle s'est mise à rire et la peur s'est envolée dans ce rire. Elle m'a déclaré que jamais elle n'avait été aussi heureuse de sa vie.

Si devant la mort d'un enfant nous sommes bouleversés, c'est l'histoire que nous nous racontons qui nous fait souffrir. C'est évident. Si un enfant meurt et que personne ne nous en informe, nous ne sentons rien. Quelque part une mère pleure la mort de son enfant et puisque nous ne sommes pas au courant, nous voici en train de passer un moment merveilleux. Comme nous sommes insensibles !

Un jour, je visitais une mourante dans un hospice. À mon arrivée, elle faisait une sieste, je suis donc restée assise à son chevet jusqu'à ce qu'elle ouvre les yeux. Je lui ai pris la main et nous avons parlé pendant quelques minutes. Puis, elle a dit :

— « J'ai tellement peur. Je ne sais pas comment mourir.
Et je lui ai répondu :
— Ma chérie, est-ce vrai ?»
— Oui, je ne sais pas quoi faire.
— Quand je suis entrée, vous faisiez une sieste. Savez-vous comment faire une sieste ?
— Bien sûr.

— Chaque soir, vous fermez les yeux et vous vous endormez. Les gens ont hâte de s'endormir. Voilà tout ce qu'est la mort. Ce n'est pas plus mal, sauf si votre système de croyances vous raconte qu'il en est autrement.

Elle m'a confié qu'elle croyait à l'Au-delà et a ajouté : «

— Je ne saurai pas quoi faire à mon arrivée.»

— Pouvez-vous être certaine que vous devez faire quelque chose ?

— Je suppose que non.

— Il n'y a rien que vous deviez savoir et tout est toujours bien. Tout ce dont vous avez besoin est déjà là pour vous ; il n'est pas nécessaire d'y réfléchir. Tout ce que vous devez faire, c'est dormir quand vous en avez besoin et quand vous vous réveillerez, vous saurez quoi faire.

Je lui décrivais la vie, bien sûr, pas la mort. Puis, nous sommes passées à la deuxième question du Travail : Pouvez-vous avoir la certitude absolue que vous ne savez pas comment mourir ? Elle s'est mise à rire et m'a dit qu'elle préférait être avec moi plutôt qu'avec son histoire. Quel plaisir ! N'avoir nulle part où aller autre que là où nous sommes vraiment présentement.

L'esprit investigué, puisqu'il ne cherche plus, est libre de voyager sans aucune limite. Ainsi, il ne meurt jamais. Il comprend que puisqu'il n'est jamais né, il n'a rien à perdre en laissant arriver ce qui n'est pas né. Il est infini parce qu'il ne désire rien pour lui-même. Il ne retient rien. Il est sans condition, constant, sans peur, inlassable, sans réserve. Il doit s'abandonner. C'est sa nature.

J'ai une amie qui, après s'être sérieusement adonnée à l'investigation pendant un certain nombre d'années, en est arrivée à comprendre que le monde est un reflet de l'esprit. Elle avait épousé l'amour de sa vie et, un jour qu'ils étaient assis tous les deux sur leur canapé, il a fait un infarctus et est mort dans ses bras. Passé le choc initial et les pleurs, elle s'est mise à chercher la peine, mais il n'y en avait pas. Pendant des semaines, elle a cherché la peine parce que ses amis lui disaient qu'elle faisait partie du processus de guérison. Mais elle ne ressentait qu'une plénitude. Rien de ce qu'elle avait eu de lui pendant qu'il était physiquement avec elle ne lui manquait maintenant.

Elle m'a dit que chaque fois qu'une pensée triste lui venait à son sujet, elle se demandait aussitôt : «Est-ce vrai ?» et voyait son contraire, éliminant la tristesse et la remplaçant par ce qui était plus vrai. «C'était mon meilleur ami et maintenant je n'ai personne à qui parler» est devenu : «Je suis ma meilleure amie et maintenant je peux parler avec moi-même.» «Ses sages conseils vont me manquer» est devenu : «Ses sages conseils ne me manqueront pas»; ils ne pouvaient pas lui manquer puisqu'elle *était* elle-même cette sagesse. Tout ce qu'elle croyait avoir trouvé en lui, elle le trouvait en elle; il n'y avait aucune différence. Et puisqu'à la fin il était elle, il n'était pas mort. En l'absence de l'histoire sur la vie et la mort, a-t-elle dit, il n'y avait que l'amour. Il était toujours avec elle.

❧

Jusqu'à ce que nous découvrions que la mort est aussi bonne que la vie et qu'elle arrive toujours avec bienveillance, nous assumons le rôle de Dieu, sans conscience toutefois, et nous souffrons. Chaque fois que vous vous opposez mentalement à ce qui est, vous expérimentez la tristesse et une séparation apparente. Sans histoire, la tristesse n'existe pas. Ce qui est est. Vous *êtes* cela.

❧

La réalité — telle qu'elle est, exactement, à chaque instant — est toujours bienveillante. C'est notre *histoire* à propos de la réalité qui embrouille notre vision, assombrit ce qui est vrai et nous porte à croire qu'il y a de l'injustice en ce monde. J'affirme parfois que vous vous éloignez complètement de la réalité lorsque vous croyez qu'il y a une raison légitime de souffrir. Quand vous croyez que toute souffrance est légitime, vous devenez le champion de la souffrance ; vous la perpétrez en vous. Il est fou de croire que la souffrance est causée par quelque chose d'extérieur à l'esprit. Un esprit clair ne souffre pas. Ce n'est pas possible. Même quand vous endurez une grande douleur physique, même si votre enfant bien-aimé meurt, même si vous et votre famille êtes conduits à Auschwitz, vous ne pouvez souffrir à moins de tenir pour vraie une pensée fallacieuse. J'aime la réalité. J'aime ce qui est, quoi que ce soit. Et peu importe la manière dont la réalité se présente à moi, mes bras sont ouverts.

J'aime bien raconter une anecdote au sujet d'un de mes amis qui attendait une révélation juste avant de mourir. Il ménageait ses énergies et essayait de rester pleinement conscient. Finalement, il a écarquillé les yeux et m'a dit en haletant : «Katie, nous sommes des larves.» J'ai dit : «Mon chéri, est-ce vrai?» Et il a tout simplement éclaté de rire. La révélation, c'était qu'il n'y *avait* pas de révélation. Les choses sont bien telles qu'elles sont; seul un concept peut faire croire le contraire. Quelques jours plus tard, il est mort, le sourire aux lèvres.

Une personne qui aime ce qui est attend tout avec plaisir : la vie, la mort, la maladie, la perte, les tremblements de terre, les bombes, tout ce que l'esprit serait tenté de qualifier de «mauvais». La vie nous apporte tout ce dont nous avons besoin, afin de nous montrer ce que nous n'avons pas encore réparé. Rien ne peut nous faire souffrir à l'extérieur de nous. Chaque lieu est un paradis, sauf nos pensées non investiguées.

Ma mère, âgée de 90 ans, se meurt d'un cancer du pancréas. Je prends soin d'elle. Je prépare ses repas et fais son ménage ; je dors avec elle et vis dans son appartement 23 heures par jour (mon mari m'amène faire une promenade tous les matins). Cela fait maintenant un mois. C'est comme si son souffle était le pouls de ma vie. Je la baigne, la lave jusqu'aux parties les plus intimes, lui donne ses médicaments et je ressens une telle gratitude. C'est moi ici, en train de mourir d'un cancer, passant mes derniers jours à dormir, à regarder la télévision et à parler, sous l'effet des calmants les plus merveilleux. Je suis étonnée par la beauté et la complexité de son corps, mon corps.

Le dernier jour de sa vie, assise à son chevet, je remarque un changement dans son souffle, et je sais : ce n'est plus qu'une question de minutes maintenant. Puis, un autre changement encore, et je sais. Nos regards se rencontrent et quelques instants après, elle est partie. Je regarde plus profondément dans ses yeux pour constater que son esprit n'est plus là : les yeux sans esprit, les yeux du non-esprit. J'attends qu'un changement se produise. J'attends que les yeux me révèlent la mort, mais rien ne change. Elle est toujours aussi présente. J'aime mon histoire à son sujet. Comment pourrait-elle exister autrement ?

Ce sont nos croyances à propos de la mort qui nous effraient à mort.

Il y a quelques mois, je visitais Needles, le petit village désertique du sud de la Californie où vit ma fille, Roxann. J'étais au marché d'alimentation avec elle lorsque m'ont aperçue de vieux amis de la famille que je n'avais pas vus depuis longtemps. « Katie ! » se sont-ils exclamés en venant vers moi, rayonnant de joie. Ils m'ont enlacée, se sont informés de moi, puis ils ont demandé : « Comment va ta chère maman ? »

J'ai dit : « Elle va à merveille. Elle est morte. » Silence. Les sourires ont disparu soudainement. J'ai constaté qu'ils avaient un problème, sans savoir ce que c'était.

Quand Roxann et moi sommes sorties du marché, elle s'est tournée vers moi et m'a dit : « Maman, quand tu parles ainsi aux gens, ils ne peuvent comprendre. » Cela ne m'avait pas traversé l'esprit. Je n'avais dit que la vérité.

Tant que vous n'expérimentez pas la mort comme un don, vous n'avez pas accompli votre Travail. Si vous la craignez, cela vous indique ce que vous devez maintenant investiguer. Il n'y a rien d'autre à faire ; soit vous croyez vos histoires enfantines, soit vous les investiguez. Vous n'avez pas d'autre choix. Qu'est-ce qui vous dérange dans la mort ? Tous les soirs, vous fermez les yeux et vous endormez. Les gens attendent ce moment avec impatience ; certains d'entre eux le préfèrent même. Et ce n'est pas si mal, sauf si vous croyez qu'il y a autre chose. Avant une pensée, il n'y a rien ni personne — seulement une paix qui ne se reconnaît même pas comme telle.

Quand vous comprenez clairement ce qu'est la mort, vous pouvez être totalement présent à une personne mourante, et peu importe le type de douleur qu'elle semble éprouver, celle-ci n'a aucun effet sur votre bonheur. Vous êtes libre de simplement aimer la personne, de la serrer contre vous, de prendre soin d'elle parce que c'est votre nature d'agir ainsi. Si vous l'abordez avec peur, vous lui enseignez la peur ; elle regarde dans vos yeux et capte le message qu'elle est en difficulté. Cependant, quand vous venez à elle dans la paix, sans crainte, elle voit dans vos yeux que tout ce qui arrive est bon.

Mourir c'est comme vivre. La mort a ses propres règles et vous ne pouvez les contrôler. Les gens pensent *Je veux être conscient quand je vais mourir.* C'est désespéré. C'est même désespéré de vouloir être conscient dans 10 minutes. Tout ce que vous voulez est ici, dans le moment présent.

Nous pouvons affirmer que je suis déjà morte. Ce que j'en sais, c'est que lorsqu'il n'y a pas d'échappatoire, quand vous savez que personne ne viendra vous sauver, les croyances prennent fin. Vous ne vous en faites plus. Ainsi, si vous êtes étendu sur votre lit de mort, que le médecin vous dit que c'est terminé pour vous et que vous le croyez, toute confusion cesse. Vous n'avez plus rien à perdre. Et dans cette douce paix, il n'y a que vous. Vous êtes cette paix, c'est votre présence.

La réalité est la base — toujours stable, jamais décevante — de l'expérience. Quand je regarde ce qui est vraiment, je ne trouve pas de moi. Comme je n'ai pas d'identité, il n'y a personne pour résister à la mort. La mort est tout ce qui a jamais été rêvé, incluant le rêve de moi-même. Ainsi, à chaque instant je meurs à ce qui a été et je nais continuellement en tant que conscience du moment; puis je meurs à nouveau à l'instant et renais en lui. L'idée de la mort m'excite. Ce n'est pas personnel : tout le monde apprécie un bon roman et a hâte de savoir comment il finira. Après la mort du corps, à quoi s'identifiera l'esprit? Le rêve est terminé; j'étais la perfection absolue et je n'aurais pu vivre une meilleure vie. Tout ce que je suis naît dans cet instant, comme toutes bonnes choses ayant existé.

Rien n'est jamais né, si ce n'est un rêve. Rien ne meurt jamais, si ce n'est un rêve.

III

À PROPOS DES PARENTS ET DES ENFANTS

Voici ce que j'ai dit à mes enfants : « Vous avez la mère parfaite. Je suis responsable de tous vos problèmes et vous êtes responsables des solutions. »

Nos parents, nos enfants, nos conjoints et nos amis continueront d'appuyer sur tous nos boutons jusqu'à ce que nous voyions ce que nous refusons encore de connaître sur nous-mêmes. À tout coup, ils nous indiquent le chemin de notre liberté.

« Les mères sont censées aimer leurs filles » — est-ce vrai ? C'est un vieux, vieux mythe. Aussi ancien que les dinosaures. Le moyen de savoir que ce n'est pas vrai, c'est de constater que vous souffrez chaque fois que vous y croyez. Ce n'est pas votre nature. Quand vous y accordez foi, vous êtes dans l'erreur.

Vous savez que la poule pousse ses poussins hors du nid. « Allez-vous-en », leur dit-elle. C'est de l'amour. Elle ne dit pas : »Je vous aime, restez ici. » Elle dit : « Je vous aime, envolez-vous. » Nous pouvons au moins donner ce qu'une volaille donne !

Ainsi, comment réagissez-vous chaque fois que vous tenez pour vrai le mensonge que votre mère devrait vous aimer ? Vous vivez une séparation. Qui seriez-vous en présence de votre mère si vous n'aviez pas la faculté de penser qu'elle devrait vous aimer ? Vous seriez en paix, à l'écoute, et l'aimeriez tout simplement telle qu'elle est. « Votre mère doit vous aimer » — inversez cet énoncé. *Vous* devez vous aimer. C'est *votre* tâche de vous aimer. « Je ne m'aime pas, alors faites-le pour moi » — qu'est-ce qui cloche ici ? *Vous* le faites, et c'est en restant présente que vous le faites. Et à tout coup, vous tombez amoureuse de vous parce que vous êtes la vérité. Ensuite, quand votre mère parle, vous n'entendez que la voix de Dieu puisque Dieu est tout ; il n'y a rien d'autre. Tant que vous ne voyez pas Dieu dans votre mère, votre Travail n'est pas fait.

Le problème ne peut venir des parents. Le Travail vise la responsabilisation à 100 pour cent. C'est une très bonne nouvelle puisqu'ainsi il n'y a pas de parents à changer. Ne reste que l'investigation.

Vous ne pouvez rendre les autres heureux. Ma fille voulait une auto. Elle se trouvait dans une mauvaise passe. Elle venait d'avoir 16 ans. Elle était si belle, si charmante, et pourtant rongée par le manque d'estime de soi, la culpabilité et la honte. Je croyais que c'était le meilleur moment pour lui faire plaisir et je lui ai donc acheté une auto. Aucun de ses amis n'en possédait ; ce serait donc un présent très spécial. Je trouvais cette auto fabuleuse. J'imaginais ma fille au volant et je ressentais un immense plaisir.

Quand je la lui ai offerte, mon cœur battait la chamade. À mes yeux, c'était le cadeau de sa vie ; je lui donnais les clés du bonheur. Toutefois, j'ai aussitôt remarqué que quelque chose clochait. Elle n'était pas heureuse. Ce n'était pas le modèle qu'elle voulait. (Ses amis allaient se moquer, m'a-t-elle dit plus tard, et je ne pouvais le savoir.)

À cette époque, j'étais encore assez naïve pour croire qu'elle serait reconnaissante, qu'elle l'apprécierait, et je pensais qu'elle jouait délibérément la difficile. Je me suis aperçue qu'elle était simplement comme moi. Si une personne devait me rendre heureuse, ce devait être moi. Elle allait, ou non, trouver son propre bonheur. Je me suis rendu compte que tout reposait sur soi-même.

Nous sommes tous des enfants de cinq ans. Nous ne savons pas comment réaliser cette chose appelée la vie. Nous sommes en apprentissage.

Si vous croyez être censé aimer vos enfants, vous êtes dans l'embarras. Cela ne vous mènera qu'à la honte et à la culpabilité. Vous n'êtes pas censé aimer vos enfants, jusqu'à ce que ce soit le cas. Comment réagissez-vous quand vous accordez foi à l'idée que vous êtes censé les aimer ? Par la peur, la dépression, le ressentiment, le manque d'estime de soi. Peut-être avez-vous l'impression d'être un monstre, de ne pas être normal, qu'un élément vital vous fait défaut. Qui seriez-vous présentement sans cette pensée que vous êtes censé aimer vos enfants ? Vous seriez libre de les aimer ou non, d'être un excellent parent peu importe ce que vous éprouvez dans le présent. Puis, vous pourriez sentir votre amour ; vous pourriez entendre vos enfants et être avec eux, sans devoir être ou faire quoi que ce soit. L'investigation nous libère de la tentative de devenir ce que nous ne sommes pas.

« Quand mes enfants sont heureux, je suis heureuse. » Pour moi, ce n'est pas de l'amour. Je pense que je vais tout simplement les oublier et commencer à être heureuse. C'est beaucoup plus sain et cela s'appelle l'amour inconditionnel.

Dieu est une autre façon de nommer la réalité et je suis amoureuse de ce qui est. Si je perds mon petit-fils ou ma fille, je perds ce qui ne m'appartenait pas au départ. C'est un bienfait. C'est vrai, sinon Dieu est sadique et ce n'est pas l'expérience que j'en ai. Je ne donne pas d'ordre à Dieu. Je ne prétends pas savoir si la vie ou la mort sont préférables pour moi ou les êtres que j'aime. Comment pourrais-je le savoir ? Tout ce que je sais, c'est que Dieu est tout et que Dieu est bon. Voilà mon histoire ; je m'en tiens à elle.

Il est vrai pour moi que je ne cherche pas du tout l'approbation de mes enfants. Cela sous-entendrait que je ne l'ai pas de toute façon. Vouloir leur approbation reviendrait à violer leur esprit. Cela signifierait que je dirige leur esprit vers moi quand celui-ci doit se diriger là où il est censé être.

« Les parents ne sont pas censés s'attacher à leurs enfants » — est-ce vrai ? Est-ce bien ce qu'ils font ? Ainsi, est-il vrai que les parents ne sont pas censés s'attacher ? Ce n'est pas vrai. C'est un grossier mensonge et je veux que cela se sache. Comment traitez-vous votre père ou votre mère quand vous croyez qu'ils ne sont pas censés s'attacher à vous ? Vous vous retirez avec un sentiment de supériorité. Qui seriez-vous sans cette histoire ? Fermez les yeux. Voyez votre mère qui s'attache à vous. Voyez son visage, voyez son corps. Regardez-la en faisant abstraction de votre histoire. Que voyez-vous ? Un être humain splendide, une personne que vous aimez de tout votre cœur. Et vous n'avez fait que voir ce qui est. Quand vous vous attachez à une histoire, vous perdez la conscience de cet amour.

❧

Les enfants comprennent-ils le Travail ? Absolument. Il n'y a que des concepts. Il n'y a pas d'adultes, ni d'enfants. Les concepts sont éternels. Voici ce que disent les enfants : « Mon père devrait me comprendre », « Mes amis devraient m'écouter », « Maman ne devrait pas se disputer avec papa », « Je veux que tu m'aimes. » Vers l'âge de quatre ou cinq ans, les enfants croient les mêmes pensées stressantes que les adultes. Il n'y a pas de nouveaux concepts. Les enfants sont aussi confus que les adultes.

❧

Mes enfants me disent constamment ce qu'ils veulent. Et je ne fais que les entendre. Qu'est-ce que cela a à voir avec moi ? Ils ne font qu'exprimer leurs désirs. Leurs désirs leur appartiennent. J'ai les miens et ils ont les leurs. Quand ils me donnent leurs désirs, puis-je seulement écouter sans penser que cela me concerne ? C'est ce que nous voulons tous de la part de nos parents : une personne qui nous entend et nous comprend. Peut-être croyons-nous vouloir autre chose, mais voilà tout ce que nous voulons.

Ma tâche consiste à ne pas me mêler des affaires de mes enfants et à plutôt les aimer.

Si votre mari ne s'occupe pas des enfants, cela signifie-t-il que vous ne pouvez vous consacrer à vos propres affaires ? Vraiment ? Qu'est-ce qui vous en empêche ? Comment quelqu'un peut-il vous empêcher de vous consacrer à vos affaires ? Si vous voulez faire une activité sans les enfants, vous pouvez les laisser. Vous pouvez tout simplement les laisser et partir faire ce que vous voulez faire. Mais vous ne le faites pas. Vous restez avec eux parce que vous voulez quelque chose de plus que partir. Votre mari n'y est pour rien. Vous pouvez partir n'importe quand. N'est-il pas agréable de le savoir ? Quand vous croyez ne pas pouvoir faire ce que vous voulez à cause de lui, vous êtes perdue dans un rêve. C'est le rêve »Je suis coincée« qui fait que vous êtes coincée. Aucune mère ne doit rester avec ses enfants. Nous aimons simplement raconter l'histoire que nous y sommes obligées. Et dans cette histoire nous finissons par battre nos enfants, par détester notre mari, par divorcer et perdre la tête. Qui seriez-vous sans ce mensonge ?

Les bébés ne connaissent pas le monde de l'illusion tant qu'ils n'associent pas de mots aux choses. Quand votre Travail est fait, il est très amusant d'observer ce fait. J'aime être en compagnie de mes petits-enfants bébés. J'aime entendre ce que je leur enseigne : « C'est un arbre », « C'est le ciel », « Je t'aime », « Tu es le précieux petit ange de grand-maman », « Tu es le plus beau bébé du monde. » Et je passe un merveilleux moment à raconter tous ces mensonges. Si je crée des problèmes à mes petits-enfants, ils pourront toujours investiguer leurs pensées stressantes quand ils grandiront. Je suis la joie. Et je la veux entière, non censurée.

Votre mari ne devrait pas s'absenter pendant des heures pour consulter son courrier électronique ? C'est désespéré. Les enfants et la famille ne peuvent l'emporter sur le courrier électronique. C'est comme ça. Comment le traitez-vous quand vous vous attachez à cette histoire qui dit qu'il devrait vous préférer, ainsi que la famille, à Internet ? Enseignez-vous la honte et la culpabilité ? Comment vous sentez-vous intérieurement ? Qui seriez-vous sans cette histoire qui dit qu'il devrait vous préférer à Internet ?

Les gens me demandent souvent si j'adhérais à une religion avant 1986, et je réponds oui. Cette religion s'appelait

« Mes enfants doivent ramasser leurs chaussettes ». C'était ma religion et j'y étais totalement dévouée, même si cela ne donnait jamais rien. Puis, un jour, quand le Travail a été mis en œuvre en moi, je me suis rendu compte que ce n'était tout simplement pas vrai. La réalité, c'était que jour après jour ils laissaient leurs chaussettes sur le plancher, après toutes ces années que j'avais passées à les harceler, à les gronder et à les punir. J'ai compris que j'étais celle qui devait ramasser les chaussettes si je voulais qu'elles soient ramassées. Mes enfants étaient parfaitement heureux avec leurs chaussettes sur le plancher. Qui avait un problème ? Moi. C'était mes *pensées* à propos des chaussettes sur le plancher qui me rendaient la vie pénible, pas les chaussettes comme telles.

Et qui avait la solution ? Moi, encore. J'ai compris que je pouvais avoir raison ou être libre. Cela ne me prenait que quelques minutes pour ramasser les chaussettes, sans penser à mes enfants. Et quelque chose d'étonnant a commencé à se manifester. Je me suis rendu compte que j'aimais ramasser leurs chaussettes. C'était mon affaire, pas la leur. Dès cet instant, cela a cessé d'être une tâche et c'est devenu un plaisir de les ramasser et de voir le plancher désencombré. Petit à petit, ils ont remarqué mon plaisir et se sont mis à ramasser leurs chaussettes eux-mêmes, sans que j'aie un mot à dire.

❦

De même mentalité ? Toute ma famille est de même mentalité. Ils s'étendent par terre, marchent, s'assoient, racontent des histoires. Voilà à peu près tout. Aucune de leurs histoires n'est vraie. Ils ne font que passer un bon moment. C'est un excellent film. Ils racontent l'histoire que je les aime, ou non. Tout cela n'est qu'une histoire.

※

Voici comment écoute un enfant : vous lui dites quelque chose et il y applique sa propre interprétation. Voilà ce qu'il entend. Personne ne vous a jamais entendu.

※

Si un ou une de mes enfants disait : « Je te déteste », je dirais : « Laisse-moi m'imprégner de ce sentiment un instant. Je comprends — vois comment je t'ai traité pendant toutes ces années. Je te comprends. Que puis-je faire ? Que suggères-tu ? » S'il ou elle me répondait : « Va te faire foutre avec ton discours spirituel ! Je ne veux plus jamais te voir », je ne dirais pas « je comprends » tendrement. Je suis à l'écoute. Je me recueille et j'essaie de comprendre. Je n'ai pas besoin de partager cette compréhension avec eux à ce stade. Si je disais « je vous aime », ce serait comme de leur planter un couteau en plein cœur.

※

Vous êtes la mère que vous attendez depuis toujours. Quand vous portez votre attention sur votre mère, vous devenez orpheline.

Vous entreprenez le Travail et vos enfants, votre conjoint et vos parents vous donneront tout ce dont vous avez besoin pour vous libérer. C'est ce que fera le monde entier. Tout est un reflet de vous. C'est parfait. Il n'y a pas d'accidents.

Vous ne voulez pas que le cancer de votre mère réapparaisse. Pourquoi? Pour qu'elle puisse jouer son rôle de mère avec vous? Doit-elle rester vivante pour vous? Elle ne peut même pas vivre ni mourir, si ce n'est pour vous. Intéressant, n'est-ce pas? Si ce n'est pas pour vous rendre heureux, êtes-vous vraiment intéressé à ce qu'elle vive? Vous pensez qu'elle aime vivre — en quoi cela vous concerne-t-il? En rien. Intéressant, n'est-ce pas? Peut-être entrerez-vous à la maison en disant : »Maman, je viens de découvrir que je souhaite que tu restes en vie pour que je puisse être heureux. Et, au fait, je t'aime.»

J'étais une enfant à 43 ans. Je me suis aperçue que je ne savais rien. Je ne savais pas comment vivre. J'ai découvert le Travail et j'ai remarqué que j'étais vécue. J'étais comme une enfant, une petite fille. C'était tellement amusant! Quand nous restons dans le Travail, nous en venons à comprendre que nous n'avons pas besoin de savoir quoi que ce soit. Le monde entier nous fournit tout ce dont nous avons besoin.

Votre enfant dit que vous êtes stupide. Il a peut-être raison ! Je peux l'admettre. Qui sait comment élever un enfant ? Nous sommes tous plutôt stupides dans ce domaine. Il n'a fait que dire que vous étiez stupide — pourquoi le contrediriez-vous ? Qui serait assez stupide pour se disputer avec une personne aimée, s'il y avait une autre façon d'agir ?

Vous pourriez simplement dire : « Chéri, qu'est-ce que tu suggères ? Je me sens effectivement stupide. Je t'aime et je ne sais comment te le montrer. » C'est la vérité. Nous agirions tous intelligemment si nous savions comment faire. Voilà le pouvoir du Travail — vivre les inversions, vivre les réponses que nous y trouvons. Vous pouvez alors entrer à la maison et dire à votre fils : « Tu m'as dit que j'étais stupide et je m'en suis rendu compte. J'étais la seule à ne pas m'en apercevoir. Et pourquoi suis-je stupide ? Parce que je ne sais pas comment t'aimer. J'ai besoin de ton aide. Je veux t'entendre. »

Puis-je faire ce que je voulais que mes parents fassent ? Puis-je me donner ce que je voulais que mes parents me donnent ? C'est le travail d'une vie. Certains d'entre nous ne savent pas comment faire. Et nous nous attendons à ce que nos parents l'aient su. Tout ce que vous voulez qu'ils vous donnent, inversez-le et donnez-le-vous. La vie est belle. Je peux compter sur moi-même maintenant. Et tout ce que je veux, je vous le donne aussi. Et je ressens une telle joie. Je m'aperçois que c'est un cadeau que je m'offre. Mais tant que je ne me l'étais pas offert, je ne pouvais vous l'offrir. Et vous l'offrir, c'est l'offrir à mon essence la plus personnelle.

Lorsque ma fille Roxann a assisté à son premier séminaire avec moi en 1993, il y avait de nombreux thérapeutes présents. Elle travaillait sur «la mère venue de l'enfer» — sa façon de décrire l'expérience qu'elle avait vécue avec moi durant son enfance et son adolescence. Elle ne pouvait supporter de me regarder pendant qu'elle accomplissait son Travail; il lui était même difficile d'entendre le son de ma voix. J'étais la racine de son problème, pensait-elle, et également sa salvatrice. Elle devait demander de l'aide au monstre, ce qui la rendait furieuse.

À un certain point, elle est devenue très passionnée et elle m'est tombée dessus en me disant que j'aurais dû l'élever différemment. J'ai dit : «Ce n'est pas ma tâche. Élève-toi toi-même, ma chérie. *Sois* la mère que tu as toujours voulue.»

Plus tard, elle m'a dit que c'était le plus beau cadeau que je lui avais offert. Sa liberté. Je connais le privilège de me dorloter moi-même. Il est inutile de penser que c'est la responsabilité de quelqu'un d'autre.

La vérité, c'est que votre mère vous aime — elle n'y peut rien. Mais n'espérez pas qu'elle en soit consciente. Votre mère vous aime tellement qu'elle vous priverait d'amour afin que vous puissiez connaître ce qu'on appelle l'amour de soi. Vous ne pouvez l'aimer tant que vous n'avez pas découvert cet amour. Si je me déteste, je déteste ma mère. Si je m'aime, j'aime ma mère. C'est aussi simple que ça.

À la fin, lorsqu'un concept stressant se présente, cela nous allume ; nous déambulons dans la rue avec l'impression d'être une ampoule de mille watts. Un concept tel que « J'ai besoin que ma mère m'aime » se présente et nous éclatons de rire. Nous rions parce que nous sommes éveillés à ce concept, et le prochain et le prochain encore.

Vous ne pouvez décevoir un autre être humain. Et un autre être humain ne peut vous décevoir. Vous racontez l'histoire qu'une personne ne vous donne pas ce que vous voulez et vous vous décevez vous-même. Si vous voulez quelque chose de votre mère et qu'elle vous le refuse, il en est ainsi. Vous devez vous le donner à vous-même. C'est une bonne nouvelle parce que cela vous permet d'obtenir ce que vous voulez. Si elle n'est pas là pour vous aider, *vous* êtes là pour le faire. Si elle dit non, il reste encore vous.

L'investigation, c'est notre esprit qui se réapproprie son histoire. Quand nous étions enfants, le monde disait : »Le ciel est bleu» et nous répétions : «Le ciel est bleu.» Nous ne nous arrêtions pas pour réfléchir et nous demander si c'était vrai. Nous ne savions comment le faire. Nous commençons donc maintenant. Une mère dit : «Le ciel est bleu» et l'enfant perspicace réfléchit. *Puis-je avoir la certitude absolue que c'est vrai ?* Non. Je vois que c'est la religion de ma mère, pas nécessairement la mienne. Et sa croyance est aussi valable que la mienne. C'est ainsi que nous aimons. Elle dit que c'est bleu et je dis que je comprends. Toutefois, je ne me soucie pas de lui expliquer que ce n'est pas l'expérience que j'en ai. Et si elle me questionne, je vais lui répondre : «Tu sais, maman, ce n'est pas mon expérience, mais j'aime que tu voies que le ciel est bleu. Nous sommes compatibles.»

Vous savez pourquoi nous ne voulons pas que notre famille meure ? Parce que ses membres détiennent l'histoire de notre passé. Sans eux, il nous faut trouver un étranger, faire semblant de devenir son ami et lui raconter notre histoire afin de pouvoir, en présence d'une tierce personne sur qui nous voulons faire impression, nous tourner vers lui et dire : «N'est-ce pas vrai?» Nous voulons qu'il soutienne ce qui est faux à propos de nous. Quand votre famille meurt, votre histoire meurt aussi. Ne reste alors que vous, ici, maintenant.

Je peux dire à mon fils : «Mon chéri, je vois que tu souffres. Que puis-je faire? Je t'aime. Si je peux te venir en aide d'une quelconque manière, je le ferai. Je t'aime. Je suis ici.» Et je peux le serrer dans mes bras. Mais la peur ne peut mettre fin à la peur. Ma douleur ne peut mettre fin à sa douleur.

Et s'il dit : «Oh non, maman, tu ne peux m'aider; va-t'en», alors je l'entends. Bien. C'est vraiment très clair. Alors, je m'éloigne. Il lui revient donc de se guérir lui-même. Il est en présence du maître. Je ne lui enseigne pas que je suis la source de son bonheur. Ce serait idiot. Qu'arriverait-il à ma mort? Il perdrait la source de son bonheur. L'amener à se réapproprier — voilà l'amour.

Croire que nous savons ce qui convient le mieux à nos enfants apporte la souffrance. C'est sans espoir.

«Ma mère doit m'aimer» — est-ce vrai? C'est la mort d'un rêve. Pouvez-vous trouver une seule bonne raison de conserver l'histoire que *quelqu'un* devrait vous aimer? Avez-vous déjà essayé d'aimer une personne que vous percevez comme ennemie? C'est sans espoir. Qui seriez-vous sans l'histoire que votre mère devrait vous aimer? Vous seriez vous-même, libérée de tous ces efforts. Sans masque, sans façade. À mes yeux, cela ressemble à la liberté.

Vouloir que votre mère vous aime, c'est comme vous retrouver dans un corset. C'est comme devenir un chien qui se traîne par terre et qui mendie, la langue pendante : « Aimez-moi! Aimez-moi! Je serai un bon chien!» Établissez une liste de tout ce que vous voulez qu'elle fasse pour vous, puis faites-le vous-même, dès maintenant. La réalité est ainsi. Vous voulez quelque chose d'elle? Faites l'inversion et vivez-le.

Si votre femme meurt ou si elle vous quitte et que vous avez la garde des enfants, comment pouvez-vous savoir qu'il sera moins avantageux pour eux de ne pas avoir leur mère? Voilà un concept bien ancré. «Les enfants sont beaucoup mieux avec leur mère» — est-ce vrai? C'est la religion favorite du monde, mais pouvez-vous avoir la certitude absolue que c'est vrai? Je ne prétends pas qu'ils ne sont pas mieux avec elle. Ce Travail est une investigation, sans plus, et il vous revient de chercher en vous pour trouver la réponse. Je suis tellement avide, je veux tout; donc, j'aime et j'ai tout. Tout obstacle ne peut être qu'une histoire. J'investigue et je suis l'expérience de la conscience de l'amour maintenant

— avidité pure. Lorsque les mères ne restent pas avec leurs enfants, comment puis-je savoir que c'est pour leur plus grand bien ? Parce qu'elles sont absentes ! Lorsque les mères restent avec leurs enfants, comment puis-je savoir que *c'est* pour leur plus grand bien ? Parce qu'elles sont présentes ! C'est vrai, sinon Dieu est sadique, l'Univers est un chaos, et ce n'est pas l'expérience que j'en ai. Cela a été mon expérience pendant 43 ans, mais avec le Travail je ne vois qu'un ordre parfait. Rien n'est terrible. L'investigation est la manière d'aborder la réalité.

Quand vous évitez de vous mêler des affaires de vos proches, ils remarquent que vous vous organisez bien et que vous êtes heureux et se mettent à suivre votre exemple. Vous leur avez appris tout ce qu'ils savent et maintenant ils commencent à réapprendre. C'est ce qui s'est produit avec mes enfants. Ils ne voient plus un paquet de problèmes, parce qu'en présence d'une personne qui n'en a pas, ils ne peuvent se raccrocher à des problèmes.

Les mères ont toujours raison — elles aiment ça ! Avez-vous déjà réussi à amener votre mère à changer d'idée ? Ce n'est pas comme si nous avions le choix. Votre mère a raison durant toute votre vie, mais si vous avez l'esprit ouvert, *vous* êtes libre.

Si votre vérité est bonne, elle fera rapidement son chemin dans la famille et remplacera la manipulation par un meilleur comportement. À mesure que vous continuez à trouver votre propre voie grâce à l'investigation, tôt ou tard votre famille finira par acquérir votre vision des choses. Il n'y a pas d'autre choix. Votre famille est une image projetée de vos pensées. Elle est votre histoire ; rien d'autre n'est possible. Tant que vous n'aimez pas votre famille inconditionnellement, il est impossible de vous aimer vous-même. Ainsi, votre Travail n'est pas fait.

Comment traitez-vous vos enfants quand vous voulez qu'ils vous aiment et que ce n'est pas le cas ? Pouvez-vous trouver une raison qui ne soit pas stressante de vouloir qu'ils vous aiment ou de vouloir qu'une autre personne sur cette planète vous aime ? Si j'entretiens la pensée que je veux que mes enfants m'aiment, ce n'est pas de l'amour. Je veux qu'ils aiment quiconque ils aiment — c'est préférable ainsi puisque c'est ce qu'ils font. Je ne peux rediriger leur amour. Je ne suis plus dupe. Pour les gens, c'est de l'amour ; mais moi, je suis amoureuse de ce qui est. Et puisque je connais la joie d'aimer, peu m'importe à qui ils destinent leur amour.

Qui seriez-vous sans l'histoire « Je veux qu'ils m'aiment » ? Aimer vos enfants, c'est vous aimer vous-même. Vous aimer vous-même, c'est aimer vos enfants. L'histoire «Je veux qu'ils m'aiment» vous maintien hors de la conscience de l'amour.

Quand mes enfants me demandent ce qu'ils devraient faire, je réponds : «Je ne sais pas, mon chéri.» Ou : «Voici ce que j'ai fait dans une situation semblable et, dans mon cas, cela a fonctionné. Tu sais que je suis toujours là pour t'écouter et que je t'aimerai toujours, quelle que soit la décision que tu prendras. Tu sauras ce qu'il faut faire. De plus, mon chéri, tu ne peux te tromper. Je te le promets.» J'ai finalement appris à dire la vérité à mes enfants.

Votre famille vous verra comme elle vous voit et il ne vous restera plus qu'à effectuer le Travail à partir de chacun de ses membres. Comment *vous* voyez-vous? Voilà la question importante. Comment *les* voyez-vous? Si je pense qu'ils ont besoin du Travail, c'est que *j'ai* besoin du Travail. La paix ne nécessite pas deux personnes, seulement une. Et ce doit être vous. C'est là que naît et prend fin le problème.

«Les enfants doivent aimer leurs parents» — est-ce vrai? Ce concept n'est pas valable pour moi, je l'ai donc abandonné. Quand je souffre, je lâche prise. Je vis intérieurement. C'est ce que j'ai toujours fait, sauf que maintenant je m'en aperçois. Mes enfants doivent m'aimer ? Pas du tout. *Je* dois aimer mes enfants. J'en expérimente la théorie, surtout quand ils ne me téléphonent pas. Si je veux entendre ma fille, je lui téléphone, et voilà que j'entends sa voix. Je le fais pour moi-même ; elle n'est pas concernée. Je lui téléphone, j'ai ma ration, je suis satisfaite, je raccroche. J'aime quand j'agis ainsi.

❀

Qui doit s'occuper des affaires de mes enfants ? Eux-mêmes ! Quand nous nous tenons mentalement hors des affaires de nos enfants, nous nous rapprochons du bonheur, tout comme eux, parce qu'enfin il y a un exemple dans la maison.

❀

Comment pouvez-vous prétendre ne pas vous mêler des affaires de vos enfants tout en continuant d'imposer des règles ? Laissez tomber les règles et voyez ce qui arrive ! Vous découvrirez que vos enfants, par eux-mêmes, appliqueront toutes les règles que vous leur avez enseignées, dont certaines que vous n'apprécierez peut-être pas. Ils sont un parfait reflet de vous. Finalement, ils sont vous.

❀

En bout de ligne vous n'avez aucune emprise sur vos enfants. Vous n'avez aucune emprise sur quoi que ce soit.

Quand vous croyez que vous devez en avoir et que vous constatez que ce n'est pas le cas, arrive la dépression.

Est-ce vrai que vos enfants devraient vous être reconnaissants d'avoir été un aussi bon parent? Comment les traitez-vous quand ils ne se souviennent plus que vous avez été un parent affectueux? Que leur dites-vous quand ils oublient que vous les aimez inconditionnellement? Comment les traitez-vous quand vous voulez qu'ils s'en souviennent et soient reconnaissants, et que ce n'est pas le cas? Vous vous sentez offensée? Blessée? Commencez-vous à comprendre pourquoi ils ne sont pas si fous de vous parfois? Voici notre religion : «Mes enfants devraient être reconnaissants.» Inversez-la : «*Je* devrais être reconnaissante d'avoir été une aussi bonne mère.» Et tenez-vous-en à cela. Peu importe la raison; vous avez été présente quand ils étaient malades aussi bien que lorsqu'ils étaient en bonne santé, vous les avez conduits à l'école, vous avez assisté à leurs spectacles, vous leur avez fait la lecture, vous avez fêté leurs anniversaires. Ce n'est pas à eux d'être reconnaissants, ni même de se souvenir. Si vous voulez un passé, il est à vous!

Qui seriez-vous en présence de votre enfant si vous n'adhériez pas à la pensée que vous n'auriez pas dû le frapper dans le passé? Vous croyez que la culpabilité et la honte vous empêcheront de le frapper à nouveau, mais c'est le contraire : vous utilisez la culpabilité et la honte comme des armes contre vous, vous provoquez une violence interne pour vous éloigner de la violence. C'est une violence interne que de vous culpabiliser et de vous blâmer. En n'accordant pas foi à la pensée que vous n'auriez pas dû le frapper, vous ne vivez pas dans la violence interne. Il n'est pas question ici de tort et de raison. À partir des pensées qui motivaient vos actions à cette époque, n'avez-vous pas fait le mieux que vous puissiez faire ? Comment savez-vous que vous auriez dû le frapper ? C'est ce que vous avez fait. Comment vous êtes-vous sentie ? Mal. Voilà comment vous savez que vous ne vous êtes pas respectée. Quand vous le frappez, c'est vous que vous frappez. Votre enfant est Dieu sous une forme humaine, et il est ici pour vous l'enseigner.

Si vous souhaitez perdre votre famille et vos amis, dites « est-ce vrai ? » ou « inverse cet énoncé » quand ils n'ont pas sollicité votre aide. Peut-être vous faudra-t-il agir ainsi pendant un certain temps avant de vous en rendre compte. Vous vous placez dans une situation inconfortable quand vous croyez en savoir davantage que vos amis et que vous vous présentez comme leur maître. Leur irritation vous poussera à approfondir votre investigation ou vous enfoncera davantage dans votre souffrance.

Restez présent à vos enfants ; voilà où se trouve l'abondance. Ne vous mêlez pas de leurs affaires ; voilà où se trouve tout ce que vous méritez dans la vie. Quand vous êtes présent, l'histoire s'efface et vous vivez l'abondance ; tout ce que vous avez toujours voulu est ici dans le moment présent, et vous avez acquis cette confiance. Vous faites si souvent confiance à cet espace que vous finissez par l'habiter et il n'y a rien qui puisse vous le faire quitter, pas même la perception d'un enfant ou de quoi que ce soit.

Pourquoi donnerais-je des conseils à mes enfants puisqu'il m'est impossible de savoir ce qui leur convient le mieux ? Si ce qu'ils font les rend heureux, c'est ce que je veux ; si cela les rend malheureux, c'est aussi ce que je veux, parce qu'ainsi ils apprennent ce que jamais je ne pourrai leur enseigner. Je célèbre cet état de fait ; ils ont confiance, et j'ai confiance.

Si votre fille s'enlève la vie, qui cela concerne-t-il ? Quand vous croyez savoir ce qui lui convient le mieux, vous ne l'aimez pas. Comment pouvez-vous savoir ce qui est mieux pour elle ? Comment pouvez-vous savoir que la vie est préférable à la mort pour elle ? Vous la priveriez ainsi de son parcours entier. Pour qui vous prenez-vous ? Il n'y a pas de respect ici.

Si ma fille veut s'enlever la vie et que je suis au courant, je vais lui parler et me mettre à sa disposition, pour lui venir en aide à sa guise. Et si elle s'est enlevée la vie, je ne vais pas penser *Ma chérie, tu aurais dû rester ici par égard pour moi. Je sais que tu souffrais terriblement, mais tu aurais vraiment dû rester et souffrir pour que moi je ne souffre pas.* Est-ce de l'amour ? Voulez-vous vraiment qu'elle vive dans la chambre des tortures qu'est son esprit ? Quand notre souffrance devient trop intense, nous pouvons l'investiguer. Mais si nous n'avons pas accès à l'investigation, certains d'entre nous abolissent les pensées douloureuses avec une arme, des pilules ou n'importe quoi d'autre, mais doivent détruire ce système. C'est un enfer d'ouvrir les yeux le matin et de retrouver ce système de pensées douloureuses.

Dans l'amour inconditionnel, vos enfants n'ont pas besoin de votre permission pour vivre ou mourir. Comment réagissez-vous quand vous tenez pour vraie la pensée qu'elle n'aurait pas dû s'enlever la vie ? Vous vivez un enfer. Et qui seriez-vous si vous n'adhériez pas au concept qu'elle n'aurait pas dû s'enlever la vie ? Qui seriez-vous sans cette histoire ? Vous ne pouvez avoir votre fille tant que vous entretenez un concept d'elle. Quand vous vous débarrassez de ce concept, vous la rencontrez pour la première fois. Voilà comment cela fonctionne.

Les conseils que vous avez donnés à votre famille et à vos amis sont en réalité des conseils que vous vous êtes donnés à vous-même. Vous devenez un maître avisé à mesure que vous devenez votre propre élève. Qu'on vous écoute ou non n'a plus d'importance ; c'est *vous* qui écoutez. Vous êtes la sagesse que vous nous offrez, respirant et évoluant tout naturellement quand vous vous adonnez à vos affaires, achetez vos denrées ou faites la vaisselle.

L'épanouissement personnel est la chose la plus agréable qui soit. Cela nous montre que nous sommes totalement responsables de nous-mêmes et que c'est là où se trouve la liberté. Plutôt que de nous réaliser par les autres, nous le faisons par nous-mêmes. Plutôt que de rechercher l'épanouissement chez les autres, vous le trouvez en vous-même.

Si votre bonheur repose sur celui de vos enfants, vous faites d'eux vos otages. Ainsi, évitez de vous mêler de leurs affaires ; cessez de les utiliser pour vous rendre heureux et créez votre propre bonheur. C'est ainsi que vous devenez un maître pour vos enfants : vous êtes quelqu'un qui sait comment mener une vie heureuse.

« Mes parents sont responsables de mon système de croyances et de mes problèmes » — est-ce vrai ? Non, c'est moi qui suis responsable. En être conscient nous donne ce que nous avons toujours voulu : une emprise absolue. Et munis de cette technique qui consiste à nous recueillir, c'est la fin de la souffrance si nous désirons être libres.

À l'âge de 16 ans, ma fille Roxann consommait beaucoup d'alcool et de drogues. Cela avait commencé avant mon éveil et mon questionnement en 1986, mais j'étais tellement déprimée que j'ignorais tout de cette situation. Toutefois, aussitôt que l'investigation a pris naissance en moi, je me suis mise à remarquer ses comportements et mes pensées qui s'y rapportaient.

Chaque soir, elle partait dans sa Camaro rouge toute neuve. Quand je m'enquérais de sa destination, elle me jetait un regard furieux et claquait la porte en sortant. C'était un regard que je comprenais bien. Je lui avais appris à me regarder ainsi. J'avais moi-même affiché ce regard pendant des années. Grâce à l'investigation, j'ai su comment rester très calme en sa présence, en présence de toute personne. J'ai appris à écouter.

Souvent, je restais à l'attendre jusqu'à minuit passé, juste pour le privilège de la voir − juste pour ce privilège. Je savais qu'elle buvait de l'alcool et que je n'y pouvais rien. Les pensées qui assaillaient mon esprit ressemblaient à ceci : »Elle conduit probablement en état d'ébriété, elle aura un accident mortel et je ne la reverrai plus jamais. Je suis sa mère, je lui ai acheté son auto, je suis responsable. Je devrais lui enlever cette voiture.» (Mais, je ne pouvais plus la prendre, je la lui avais donnée ; elle lui appartenait.) «Elle va tuer quelqu'un; elle va heurter une autre auto ou un lampadaire et se tuer, avec ses passagers.» À mesure qu'elles se présentaient, chaque pensée était accueillie avec une investigation muette et spontanée. Et l'investigation me ramenait instantanément à la réalité. Voici quelle était la vérité : une femme assise dans un fauteuil attendant sa fille chérie.

Un soir, à la fin d'un week-end de trois jours, Roxann est entrée avec un air vraiment malheureux et, m'a-t-il semblé, vulnérable. Elle m'a aperçue dans mon fauteuil et elle s'est tout simplement effondrée dans mes bras en disant :»Maman, je n'en peux plus. S'il te plaît, aide-moi. Quoi que ce soit que tu donnes à tous ces gens qui viennent ici, donne-le-moi.»

C'est ainsi que nous avons commencé le Travail et qu'elle est devenue membre des AA. Elle n'a plus jamais bu ni pris de drogue. Le Travail peut être un complément à n'importe quel programme de guérison. Par la suite, chaque fois qu'elle a eu un problème, elle n'avait pas besoin de boire ou de se droguer, pas plus qu'elle n'avait besoin de moi. Elle notait le problème sur papier, posait les quatre questions et faisait l'inversion. Quand la paix est ici, la paix est là. Posséder un moyen de voir au-delà de l'illusion de la souffrance est le plus grand des cadeaux. J'apprécie que tous mes enfants en aient profité.

Votre famille est un écho de vos propres croyances passées.

Comment réagissez-vous quand vous croyez qu'une personne que vous aimez souffre ? Qu'elle souffre ou non *la* concerne, mais comment réagissez-vous quand vous accordez foi à cette pensée ? Vous souffrez, puis vous devez quitter la pièce ; vous devez quitter la personne que vous aimez. Cette pensée vous amène hors de la pièce où vous voudriez être. Fermez donc les yeux et imaginez-vous dans cette pièce avec votre mère, sans la croyance qu'elle souffre, sans la croyance qu'elle ne devrait pas souffrir. Est-ce bien de vous trouver dans cette pièce avec elle maintenant ? Bien sûr.

J'adore mes enfants et aussi mes petits-enfants, mais leur souffrance est leur affaire. Je les laisse vivre leur souffrance. Ils peuvent vivre, mourir, et je les aime, voilà tout ce que je sais. Je les aime suffisamment pour rester en dehors de leurs affaires et être présente. Et ma présence n'est pas délibérée ; seulement, je n'ai aucune raison de quitter la pièce lorsqu'ils sont dans la souffrance, et en présence de la paix et de l'amour, elle ne peut durer.

« Mes parents ne sont pas censés me juger » — est-ce vrai ? Et quand vous affirmez ceci, n'êtes-vous pas en train d'émettre un jugement ? Eh bien, ils ne font que ce que vous faites. Si vous voulez qu'ils cessent, essayez *vous-même* d'arrêter. Comment traitez-vous vos parents quand ils vous jugent et que vous êtes attaché à la pensée qu'ils ne le devraient pas ? C'est notre tâche : nous jugeons. Depuis des milliers d'années, nous avons appris qu'il ne faut pas juger et nous le faisons encore. Avez-vous remarqué que c'est désespéré ? Vous avez beau vous isoler, vous éloigner, faire une colère que vous exprimez ou non, ils continuent de vous juger. C'est ce qu'ils font. Un chien jappe, un chat miaule et les parents jugent.

Les parents ne sont sages que lorsqu'ils cessent de donner des leçons.

Il n'est pas nécessaire que vos parents soient vivants pour que vous fassiez le Travail avec eux, pas plus que n'importe qui d'autre d'ailleurs. Ils vivent dans votre esprit. C'est là que vous vous guérissez. Si vous n'avez plus de famille, c'est parfait. Si votre famille vit encore, c'est parfait. Il n'y a pas d'erreur.

Voici une agréable façon de communiquer à la maison : demander simplement à votre enfant de vous lire sa fiche de travail (« Jugez votre prochain »). Il n'est pas question de tort ou de raison ici ; c'est de la communication. Après chaque énoncé, dites «merci». Rien de plus. Aimer, c'est écouter. Il s'agit ici de recevoir. Rien n'est plus puissant que de recevoir dans l'instant présent votre fille ou votre fils. C'est un don; rien n'est plus précieux.

Avez-vous accueilli chacun des énoncés? Avez-vous vu en quoi il était vrai? Combien de fois avez-vous voulu vous défendre? Qu'a à voir avec vous l'opinion de votre enfant? C'est la fin de la guerre à l'intérieur de votre enfant et, par conséquent, en vous.

Vos parents sont votre projection — rien de plus.

Si vous soumettiez votre fiche de travail («Jugez votre pro-chain») à votre mère ou votre père en leur demandant de rester calmes jusqu'au bout et de dire «merci» après chaque énoncé ou si vous leur offriez chacun des inversions, vous vous uniriez parfaitement à eux parce que vous ne pouvez leur révéler quoi que ce soit à votre sujet qu'ils ne sachent déjà. À un certain niveau, ils connaissent déjà votre secret le plus grand, le plus sombre. Il n'y a pas de surprise.

Il n'est pas convenable que je crie après mon fils. Je l'ai constaté et cela n'a rien à voir avec la morale. Ainsi, quand je suis en colère contre lui, je le juge et j'écris les résultats sur ma fiche de travail, je pose les quatre questions et je fais les inversions. Et voilà que je remarque que ce n'est pas lui mon problème — je suis mon propre problème. Mes enfants apprécient vraiment que je fasse ce Travail !

Quand votre esprit devient clair, tout le reste suit. Cette clarté s'installe dans votre vie et vous la vivez dans votre emploi, avec votre argent, avec vos enfants et dans tous les autres domaines. Tout est clair et vous percevez la cause et l'effet : je fais ceci, j'obtiens cela. C'est ainsi.

Tant que je ne peux me comprendre moi-même, je ne peux même pas entendre mes parents. Ils sont simplement mon histoire. Les gens qui effectuent le Travail en viennent à comprendre leurs parents pour la première fois, même si ceux-ci sont morts depuis 30 ans.

Voici une méditation concernant un parent désapprobateur. Servez-vous-en si vous pensez qu'elle peut vous être utile.

Fermez les yeux. Voyez votre père, par exemple, affichant son air désapprobateur. Imaginez-vous maintenant dans votre fauteuil favori. Représentez-vous votre père comme un petit garçon. Ouvrez les bras et invitez-le à venir s'asseoir sur vos genoux. Est-il venu? Serrez-le contre vous, humez l'odeur de ses cheveux. Vivez sa présence. Dites-lui ensuite ce que vous aimeriez lui dire. Dites-lui que vous l'aimez, si c'est vrai. Peut-être ferez-vous alors des découvertes très touchantes. Peut-être prendrez-vous conscience que vous aimez votre père tout comme vous auriez souhaité qu'il vous aime. C'est le vieux truc de l'inversion : « Je veux qu'il m'aime » devient : « Je veux l'aimer. » Nous investiguons l'histoire et l'illusion s'envole. Puis arrive l'histoire suivante, que nous accueillons alors avec compréhension. C'est ainsi que tombent toutes les illusions, tels des dominos.

Je n'ai plus de liens avec mes enfants. J'ai plutôt une intimité.

Si j'entretiens la pensée *Je veux que ma mère m'aime*, je suis folle. Je l'inverse donc : *Je veux aimer ma mère*. Je m'amène à vivre ce que je croyais être si facile pour elle. « Elle devrait tout simplement laisser sa vie de côté et m'aimer; peu m'importe ses désirs, elle doit m'aimer. C'est clair, n'est-ce pas? » Ce n'est pas de l'amour. Puis-je aimer, sans attendre quoi que ce soit en retour? Suis-je capable de vivre en respectant ma philosophie? En sa présence, je suis une femme très humble parce que c'est vraiment ce que je vis. Mais si

115

j'attends quelque chose d'elle, j'ai un gros problème. Si je ne lui dicte pas mentalement qui aimer, je ressens de l'amour envers moi-même, parce que je perçois comment je la traite quand je réclame son amour et ce n'est pas joli. Je deviens donc l'amour vivant dans notre foyer.

Et on dirait que c'est contagieux. Quand je haïs, mes enfants haïssent. Quand j'aime, mes enfants aiment. Cela n'exige aucun effort. Voilà pourquoi j'affirme avec confiance : « Vivez-le et nous suivrons. » Mais vous devez le vivre puisque c'est ce à quoi vous vous attendez de notre part. N'espérez pas que votre famille fasse quoi que ce soit que vous ne pouvez faire. Quand vous aurez appris cela, vous serez en mesure de l'enseigner.

Quand vous commencez vraiment à mettre le Travail en application, votre famille suit. Vous ne pouvez rien faire pour les empêcher puisqu'ils vivent tous selon ce que vous leur avez appris et continuent de suivre vos enseignements — non pas en respectant ce que vous dites, mais en suivant votre exemple. Dans la paix qui en résulte, ils vous suivront. Cela peut prendre quelque temps car peut-être ne vous croiront-ils pas ou ne vous feront-ils pas confiance. Peut-être penseront-ils qu'il s'agit encore de l'une de vos habiles manœuvres. Mais si vous appliquez le Travail, il n'y a là aucune manipulation ; c'est la réalité, c'est l'amour. Et ils finiront par croire à cet amour. Je peux tout dire à mes enfants et c'est toujours ma vérité. Et ils savent qu'ils n'ont qu'à éviter de me questionner s'ils ne veulent pas la vérité. Je suis une personne en qui on peut avoir confiance.

Si je vois une mère qui frappe son enfant, par exemple, je ne reste pas à rien faire, mais je ne lui fais pas la morale. Elle agit innocemment en fonction d'un système de croyances qu'elle n'a pas investigué. Puisqu'elle croit ses pensées stressantes — « Cet enfant n'est pas respectueux », « Il n'écoute pas », « Il ne devrait pas rouspéter », « Il n'aurait pas dû faire ceci ou cela », « Je dois le forcer à m'obéir » —, elle doit porter des coups. Il est très douloureux d'être dans la confusion. Ainsi, quand je vois cette mère, qui est moi-même, en train de frapper son enfant, qui est moi-même, je vais vers elle parce qu'elle est à l'origine du problème. Je vais vers elle et lui dis : « Puis-je vous aider ? » ou encore : « Je sais comme il peut être pénible de frapper son enfant. Je l'ai fait, moi aussi, et je sais ce que c'est. Aimeriez-vous en discuter ? »

L'amour ne reste pas en retrait, il circule à la vitesse de la clarté. Il inclut à la fois la mère et l'enfant. Aider la mère à investiguer ses pensées, c'est aussi aider l'enfant. Et je sais qu'en bout de ligne ce n'est ni pour l'un ni pour l'autre que j'agis. Je le fais pour moi-même, pour satisfaire mon propre sentiment de ce qui est bien. L'activisme devient donc très personnel et d'après mon expérience il est plus efficace quand l'esprit est clair et qu'il n'y a pas de programme à suivre.

Quand vous procédez à l'investigation, la barrière finit par céder et vous vous retrouvez tout simplement les bras ouverts. Une façon de faire consiste à lire les inversions de votre fiche de travail («Jugez votre prochain») à votre père ou votre mère. «Maman, je t'ai regardée toute ma vie; aujourd'hui j'ai commencé à me regarder et voici ce que j'ai découvert : je te manipule, je ne te respecte pas, je suis en train d'apprendre à le faire. Je te demande donc de te montrer patiente avec moi car je fais vraiment des efforts.» Il n'y a rien comme la présence; c'est très excitant. La manière dont vous traitez votre père et votre mère reflète la manière dont vous traiterez votre mari et vos enfants parce que nous n'avons pas affaire à des gens ici, mais bien à des concepts. Vivre ce qui est plutôt que d'en parler ou d'y réfléchir, vivre la vérité — voilà une situation agréable.

❀

Un jour, quelques années après la découverte du Travail en moi, mes fils se sont mis à se quereller dans notre salle de séjour. J'étais assise sur le canapé, tout près d'eux. C'étaient deux adultes dans la vingtaine et voilà qu'ils se tiraillaient sur le plancher en criant : «Maman, maman, dis-lui d'arrêter!» Je ne voyais que deux hommes ne connaissant aucun autre moyen d'entrer en contact. Je suis restée assise à les regarder, à les aimer, et à cet instant il ne m'est aucunement venu à l'idée d'intervenir. Aucune action, aucune manipulation. Soudain, ils s'en sont rendu compte et ont cessé de se battre. J'aime penser qu'ils ont trouvé leur propre solution. Ils ne se sont plus jamais battus.

❦

Vos enfants sont là pour vous offrir votre liberté. C'est Dieu ayant pris la forme de vos enfants, qui vous donne tout ce dont vous avez besoin. Vous avez un superbe matériel pour travailler. Vous avez ce avec quoi j'ai travaillé : mon ex-mari, ma mère, mes enfants — et tous étaient moi.

❦

Si mon enfant est mort, il en est ainsi. Se battre contre cette réalité provoque un enfer intérieur. «Elle est morte trop jeune.» «Je n'ai pas pu la voir grandir.» «J'aurais pu faire quelque chose pour la sauver.» «J'ai été une mauvaise mère.» «Dieu est injuste.» Mais sa mort est une réalité. Aucune objection au monde ne peut changer ce qui est arrivé. La prière n'y peut rien; les supplications n'y peuvent rien; l'autopunition n'y peut rien et votre volonté est totalement impuissante.

Toutefois, vous avez le pouvoir d'investiguer vos pensées, de les inverser et de trouver trois vraies raisons expliquant pourquoi la mort de votre enfant équivaut à sa vie, ou encore pourquoi, à long terme, elle est préférable tant pour elle que pour vous. Cela nécessite un esprit excessivement ouvert. Et seul un esprit ouvert est suffisamment créatif pour vous libérer de la souffrance occasionnée quand vous vous objectez à ce qui est. Un esprit ouvert est la voie unique menant à la paix. Aussi longtemps que vous croyez savoir ce qui devrait ou ne devrait pas survenir, vous tentez de manipuler Dieu. C'est une recette pour être malheureux.

❋

Nous aimons nos enfants ; c'est plus fort que nous, pourquoi ne pas succomber alors ? Par le fait même, nos enfants finissent par se rendre compte qu'ils nous aiment ; c'est plus fort qu'eux, pourquoi ne pas succomber alors ? J'apprécie que mes grands enfants viennent encore se blottir dans mes bras. Avant 1986, ils ne le faisaient pas ; cela ne s'était pas produit depuis leur enfance. Aujourd'hui, c'est devenu normal pour eux. Nous oublions l'âge ; nous nous concentrons sur autre chose : la vérité. Il est agréable d'être assise devant mes enfants, sans parler, et de me sentir plus près d'eux que jamais, plus près que je ne saurais le décrire.

❋

Jamais nous n'avons rencontré notre mari, notre femme, notre mère, notre père, nos enfants. Tant que nous n'avons pas investigué nos histoires à leur sujet, nous ignorons complètement qui ils sont. Nous sommes les derniers à le savoir.

❋

Si vous croyez que nous devrions être là pour vous, soyez *vous-même* là pour vous ! Ce n'est pas notre affaire. Notre nom est Dieu; nous ne bougeons pas; jamais nous ne serons là pour vous tant que vous n'aurez pas appris à investiguer et à inverser. Et cela ne va pas changer. Vous pouvez épouser un saint et cela ne changera pas davantage; vous ne vous apercevrez même pas que vous vivez avec une telle personne. Si vous croyez que vos parents étaient là, vous étiez dans l'erreur. Seul Dieu était présent, sous l'aspect de vos parents, vous donnant ce qu'il vous fallait. Chaque fois que vous pensez que vos parents devraient être là pour vous, ne connaissez-vous pas la souffrance? Vous passez à côté de la réalité : ils ne sont pas là! Chaque fois que vous croyez savoir ce qui est mieux pour vous, vous souffrez. Quand vous pensez qu'ils devraient être là et qu'ils sont ailleurs, vous souffrez. La réalité, c'est qu'ils doivent être là où ils sont. Vous essayez d'organiser l'échiquier, mais il l'est déjà! Échec et mat!

Il n'y a qu'une seule manière d'accueillir Dieu qui apparaît sous l'aspect de Mère : avec un amour inconditionnel. Tant que vous ne verrez pas votre mère comme parfaitement estimable en tout temps, votre Travail n'est pas terminé. Voilà ce qu'ont de merveilleux les mères : dès que vous croyez que tout est sous contrôle, elles savent sur quel bouton appuyer.

J'ai perdu mes enfants il y a 20 ans. J'en suis arrivée à comprendre qu'ils ne m'avaient jamais appartenu. C'était une perte énorme : pour moi, ils étaient vraiment morts. Et maintenant l'expérience que je vis avec eux s'appelle l'intimité. Et l'expérience qu'ils vivent avec moi ? — ce n'est pas mon affaire. Est-ce que je veux faire partie de leur expérience ? Non, je préfère la mienne ! Comment est-ce que je partage ma vie ? Je ne la partage pas. Je les invite et ils acceptent ou non. Ils m'invitent et j'accepte ou non.

En bout de ligne, vous perdez tout. Tout ce qui est conçu comme extérieur meurt. Tout. Vous ne pouvez rien garder. Vous ne pouvez avoir un mari — ce n'est pas un mari matériel. Vous ne pouvez avoir d'enfants — ce ne sont pas des enfants matériels. Vous ne pouvez même pas avoir un seul concept. Les gens croient que le non-attachement signifie se détacher de son mari ou de ses enfants, de sa maison ou de son auto, mais c'est bien davantage. C'est une mort.

Mes enfants ramassent leurs chaussettes maintenant, me disent-ils. Ils comprennent maintenant, ils m'aiment sans condition, parce que quand je me suis calmée, ils ont pu s'entendre. Tout ce que je déconstruis, ils doivent le déconstruire aussi ; ils sont moi, en train de vivre mes croyances.

Le monde apparent est comme un écho. L'écho est issu de moi depuis 43 ans et maintenant il revient. Cela s'apparente à un souffle, à un lac dans lequel on a jeté un caillou.

Les ondes se sont diffusées durant toutes ces années et reviennent maintenant. J'ai annulé le tumulte et mes enfants l'ont perdu, aussi. Ils perdent leur attachement à un grand nombre de concepts que je leur ai inculqués ; ils se calment. Voilà ce qu'accomplit le Travail pour tous et chacun. Voilà ce que veut dire pour moi revenir à la vie.

Je suis une personne fiable — sans condition. Même si parfois mes enfants projettent le contraire, il n'y a pas de condition. S'ils me haïssent, bien. S'ils m'aiment, bien. Je suis leur histoire. Sans leur histoire, je n'existe pas.

Nous ne savons comment changer ; nous ignorons comment pardonner ou comment être honnêtes. Nous attendons un exemple. Vous êtes cet exemple. Vous êtes votre seul espoir, parce que vous ne changez pas avant de commencer à le faire. Notre tâche consiste à constamment venir vers vous, avec tout ce qui vous fâche, vous bouleverse ou vous dégoûte, jusqu'à ce que vous compreniez. Nous vous aimons à ce point, que vous en ayez conscience ou non. Le monde entier vous concerne. Ainsi, pour mettre en œuvre le Travail, commencez par prêter attention à la petite voix en vous qui vous dit quoi faire. Prenez conscience qu'elle *vous* dit vraiment quoi faire. Quand elle dit : « Il devrait ramasser les chaussettes », écoutez l'inversion : « Je devrais ramasser les chaussettes» et faites-le tout simplement. Demeurez dans le courant naturel constant. Ramassez-les jusqu'à ce que vous aimiez le faire, parce que c'est votre vérité. Et sachez que votre esprit est la seule maison qu'il est important de tenir propre.

À un certain moment, peut-être voudrez-vous vous plonger dans la plus profonde souffrance qui vous habite afin de la guérir. Effectuez le Travail jusqu'à ce que vous perceviez votre rôle dans cette souffrance. Allez ensuite vers les personnes que vous avez jugées et faites-leur vos excuses ; parlez-leur de ce que vous avez compris de vous-même et de vos efforts pour vous améliorer. Il n'en tient qu'à vous. C'est en parlant de ces vérités que vous vous libérez.

IV

À PROPOS DU TRAVAIL
ET DE L'ARGENT

Les pensées à propos du travail et de l'argent dominent la vie de certains d'entre nous. Mais si notre attitude mentale est claire, comment le travail et l'argent peuvent-ils être un problème ? Nos pensées sont tout ce dont nous avons besoin pour changer. Elles sont tout ce que nous *pouvons* changer. Voilà une très bonne nouvelle.

Ce Travail nous amène à exercer notre profession avec clarté et vision, sans aucune crainte.

Vous voulez de l'argent pour acheter du bonheur. Le Travail vous donnera le bonheur, que vous possédiez ou non

125

de l'argent. Il devient alors très évident que l'argent n'est pas si important. Vous vous détachez donc de lui et c'est alors qu'il ne peut faire autrement que vous trouver. C'est une loi naturelle.

Certaines personnes croient que la peur et le stress sont ce qui les motivent à gagner de l'argent. Mais pouvez-vous vraiment avoir la certitude que c'est vrai ? Pouvez-vous avoir la certitude absolue que sans peur ni stress comme facteurs motivants vous n'auriez pas gagné la même quantité d'argent, ou même davantage ? «J'ai besoin du stress pour me motiver » — qui seriez-vous si vous décidiez de ne plus jamais croire cette histoire ?

Le travail que vous faites dans le monde apparent est secondaire. C'est simplement un lieu qui vous sert à juger, à investiguer et à vous connaître. Votre véritable travail est d'apprécier ce qui est ; votre profession principale consiste à obtenir une vision claire.

Un objet matériel est un symbole de notre pensée. C'est une métaphore. Il n'est pas nécessaire d'abandonner nos biens. Ils vont et viennent sans que nous y puissions quoi que ce soit. Peut-être croyons-nous le contraire, mais ce n'est pas le cas en réalité. Quiconque s'est mis à enseigner que nous devions délaisser les objets, nous en détacher, était dans la confusion. Nous remarquons que nous sommes beaucoup plus libres quand nous perdons tout et en concluons qu'il est préférable de vivre dans la pauvreté. Puis, nous nous apercevons que nous ne sommes plus libres. Tout change. Toutefois, quand nous travaillons sur notre attitude mentale, jouir d'une grande richesse équivaut à ne rien posséder. Voilà la seule liberté.

Puisque Jésus et le Bouddha portaient des tuniques et ne possédaient rien, nous en concluons que c'est là la voie de la liberté. Pouvez-vous mener une vie normale et être libre ? Pouvez-vous le faire dès maintenant ? C'est ce que je vous souhaite. Nous avons le même désir : votre liberté. Et j'aime le fait que vous soyez attaché aux biens matériels, que vous en possédiez ou non. Vous pouvez ainsi vous rendre compte que toute souffrance vient de l'esprit et non du monde.

L'argent n'est pas mon affaire ; mes pensées sont mon affaire. Rien d'autre ne me concerne.

Vous croyez que vous seriez beaucoup plus heureuse avec une automobile verte parce que vous lui donnez un sens. Que signifie-t-elle pour vous ? Peut-être bien que cela veut tout simplement dire que vous possédez une auto verte. Vous la conduisez et quelqu'un dans la rue dit : « Oh mon Dieu, que fait-elle avec une auto verte ? » Une autre personne dit : « Oh là là, elle a une auto verte ! » Et une autre encore : « Hum ! Comment se fait-il qu'elle ait une auto verte ? » Vous pouvez lui donner le sens que vous voulez.

Nous ne nous attachons pas aux choses, mais plutôt aux histoires que nous nous racontons à leur sujet. Je ne tiens pas à mon auto, mais à l'histoire qui s'y rapporte. « Elle est magnifique », « Elle est vieille », « Elle tombe en ruines », « Elle est en excellente condition », « J'en ai besoin pour me rendre à mon travail », « Si je n'avais pas d'auto, ce serait problématique », « C'est super », « Cela rehausse mon image », « Cela montre que je gagne bien ma vie » — voilà ce à quoi nous sommes attachés. En l'absence d'histoire, pas d'auto. Pas que nous serions concrètement privés ou non d'automobile. La réalité serait plutôt : « Voici une femme qui monte dans une auto pour se rendre au travail » ou « Voici une femme qui perd son emploi et qui en trouve un meilleur, montant dans un autobus pour aller travailler. »

Pour les personnes qui entrent dans le monde intérieur de l'investigation, les emplois deviennent secondaires. La liberté est tout. Les emplois vont et viennent, les entreprises progressent et régressent et vous êtes indépendant de tout cela. Nous voulons tous la liberté et nous la possédons déjà. Et quand vous vous adonnez à l'investigation, vous pouvez être aussi ambitieux que vous le voulez dans votre emploi, vous pouvez viser la lune, parce qu'il vous est maintenant impossible d'échouer. Vous comprenez qu'un concept est le pire qui puisse arriver.

Le cœur peut chanter, n'est-ce pas ? Voilà pourquoi vous avez toujours voulu de l'argent. Eh bien, vous pouvez laisser tomber la partie argent et tout simplement chanter. Cela n'implique pas nécessairement que vous n'aurez pas aussi l'argent. Pouvez-vous le faire en faisant abstraction de la richesse et de la pauvreté, telles que le monde les conçoivent ? Oui, et tout ce que vous avez fait, c'est puiser en vous — voilà tout ce qui est arrivé. Vous n'avez fait que répondre à quelques questions, du plus profond de vous-même.

Qui seriez-vous si vous cessiez de croire à l'histoire « J'ai besoin d'argent » ? Vous pensez que si vous n'aviez pas cru avoir besoin d'argent, vous n'en auriez jamais eu. Mais la vérité c'est qu'avoir de l'argent n'a rien à voir avec le fait de penser que nous en avons besoin ou non. Aucune connaissance n'est requise. Il n'est pas nécessaire de savoir quoi que ce soit. En bout ligne, il n'y a rien que vous puissiez faire pour gagner ou cesser de gagner de l'argent.

Le Travail concerne la cause et l'effet internes. Le monde extérieur n'est pas concerné.

Après avoir trouvé le Travail en moi — après qu'il m'ait trouvée — je me suis mise à remarquer que j'avais toujours le montant d'argent parfait pour moi à chaque instant, même quand j'en avais peu ou pas du tout. Le bonheur est un esprit clair. Un esprit clair et sain sait comment vivre, comment travailler, quels messages électroniques transmettre, quels appels téléphoniques faire, et quoi faire pour créer sans peur ce qu'il veut.

Voulez-vous que votre argent soit en sécurité ? C'est désespéré ! Comprenez-moi bien : désespéré. Les banques subissent des incendies ; les pays sont bombardés ; les gens mentent, ne respectent pas leurs promesses et falsifient les contrats. C'est désespéré, vraiment désespéré.

Comment vivez-vous quand vous tenez pour vraie la pensée que votre argent devrait être en sécurité ? Qui seriez-vous sans la pensée « J'ai besoin que mon argent soit en sécurité » ? Peut-être seriez-vous de compagnie beaucoup plus facile. Peut-être même commenceriez-vous à observer la loi de la générosité, la loi qui consiste à laisser l'argent aller et revenir sans crainte.

130

Vous n'avez jamais besoin de plus d'argent que vous n'en possédez. Une fois que vous l'avez compris, vous vous rendez compte que vous jouissez déjà de toute la sécurité que vous espériez de l'argent au départ. Il est beaucoup plus facile de faire de l'argent à partir de cette attitude. L'argent arrive parce qu'il est avec le bon gardien. Le concept «Je veux que mon argent soit en sécurité» vous place dans le rôle de l'avare. Ainsi, il va parcimonieusement et revient parcimonieusement. Et même s'il revient par milliards, ce n'est pas l'impression que vous avez puisque vous êtes attaché au concept «Je dois faire en sorte qu'il soit en sécurité». Ainsi, vous n'en êtes pas le gardien; vous en êtes affligé. C'est *lui* qui *vous* garde.

Quand vous appliquez l'inversion «Je veux que ma pensée soit en sécurité», vous n'avez pas besoin d'argent. Vous avez toute la sécurité que vous espériez de l'argent au départ. L'argent est comme l'air — il est partout. Il n'y a rien que vous puissiez faire pour ne pas en avoir. Et si vous n'en avez pas, c'est que vous n'en avez pas besoin. Vous pouvez alors laisser tomber la partie argent et être libre! Jamais il ne vous faut plus d'argent que vous n'en avez.

La croyance «Je dois travailler» n'a jamais été vraie; c'est le mensonge auquel vous vous raccrochez et qui vous empêche d'éprouver la joie de donner le cadeau que vous avez à offrir. Personne n'a besoin de travailler. Personne n'a jamais eu besoin de travailler.

«Mon argent ne devrait pas profiter à d'autres personnes sans ma permission» — est-ce vrai? Voilà un merveilleux mythe. Quelle est sa réalité? Votre argent profite-t-il à d'autres personnes sans votre permission? Bien sûr que oui. Ainsi, cet énoncé est un mensonge. Puisque vous vous comportez tel un avare, vous croyez que c'est vous qui décidez où va votre argent. Toutefois, vous ne faites que vous prouver que ce mensonge — qui raconte que vous avez le pouvoir — fonctionne et ainsi vous resserrez votre contrôle. C'est une situation impie. Cela vous isole, vous prive de liens avec les autres. Cette grande solitude est vraiment terrifiante. Dans cet espace, quand vous avez de l'argent, vous considérez que c'est grâce à votre nature économe. Vous devenez ainsi convaincu que vous avez de l'argent parce que vous êtes économe et c'est une illusion. Vous le possédez parce que vous le possédez. Vous n'avez aucune emprise sur lui. Un arbre produit des feuilles sans votre aide. Un bébé naît sans que vous soyez au courant. C'est l'abondance. Vous ne faites rien pour l'obtenir.

La richesse et la pauvreté sont des concepts de votre esprit. Vous pouvez être riche avec 10 dollars et un pauvre milliardaire. C'est l'histoire que vous vous racontez à propos de l'argent qui sème la terreur dans votre cœur. Avez-vous déjà manqué d'argent à un moment de votre vie? L'abondance vous entoure et vous ne la remarquez même pas. Non seulement vous avez des vêtements, mais vous en avez même en dessous. Non seulement vous avez des oreilles, mais vous avez aussi des boucles d'oreilles. Qui seriez-vous sans la pensée qu'il vous manque des choses? Qui seriez-vous sans cette crainte du manque qui, selon vous, vous motive à gagner de l'argent? Même si vous ne croyez pas à l'esclavage, vous êtes l'esclave et le maître. Et cela vous épuise rudement, au point de ne plus vouloir aller travailler.

Relisez votre fiche de travail («Jugez votre prochain») en remplaçant le mot *mère* par *argent*. Commencez-vous à voir que nous sommes simplement attachés à des croyances, qu'il n'y a pas de choses telles qu'une mère ou de l'argent, ni rien d'autre? Le concept est notre Dieu. Nous investiguons le concept et nous perdons le monde entier qui, au départ, n'a jamais existé. Le problème n'est pas la mère ou l'argent, c'est le concept auquel nous sommes attachés.

Vous n'avez pas pris soin de vous; vous avez pris soin de l'argent. Vous pensez *Je vais prendre soin de moi quand j'aurai suffisamment d'argent et qu'il sera en sécurité. Je pourrai ensuite être heureuse.* Et «ensuite» n'arrive jamais.

«L'argent est excitant et nous fait vivre toutes sortes d'aventures» — est-ce vrai? Non, il est même ennuyeux — tous ces petits visages. L'argent ne fait rien; il repose simplement là. Il ne réfléchit pas, ne sent rien, ne sait rien, ne se soucie de rien, ne s'amuse pas; il est, tout simplement. Une pièce métallique. Un bout de papier. Même les lingots d'or ne sont que ça. Ce qui vous enthousiasme, ce qui vous intéresse, ce qui vous effraie, c'est l'histoire que vous y rattachez. Vous racontez l'histoire de ce que fait l'argent, ce qu'il vous fait, comment il devrait circuler, et vous vivez le paradis ou l'enfer. Mais l'argent ne fait que reposer là.

En l'absence d'histoire, ce n'est plus personnel. Vous finissez par ne plus vous soucier de vivre ou de mourir parce que vous vous amusez tellement à investiguer ces concepts. Quelqu'un vous dit : «Vous n'avez pas d'argent» et vous répondez : «Oh, je l'ignorais.» Ou encore, ils vous demandent : «Comment se fait-il que vous ayez des millions de dollars?» et vous répondez : «J'ai des millions?» Le monde intérieur est tellement beau. Il n'y a rien de mieux.

Vous êtes votre propre patron. Même si vous exercez le métier le plus inférieur qui soit, vous êtes votre patron. Et si vous n'aimez pas votre travail, bienvenue au Travail.

Pouvez-vous avoir la certitude qu'être un artiste est ce qui vous convient le mieux? Comment réagissez-vous quand vous accordez foi à cette pensée ? Vous refusez d'être heureux dans un travail inférieur, et quand vous obtenez un emploi, vous le détestez parce que vous croyez que vous ne faites que passer le temps jusqu'à ce que vous puissiez vous consacrer à votre art. Vous vivez donc constamment dans le futur et vous n'êtes jamais dans le présent. Qui seriez-vous sans l'histoire que vous êtes censé mener une carrière d'artiste ? Vous seriez un saint en train de faire cuire des burgers ou d'astiquer des planchers. Vous seriez à ma place favorite : celle de serviteur.

La pauvreté est un état intérieur. Chaque fois que vous pensez savoir quelque chose, vous connaissez la pauvreté.

« Au travail, vous devez être considérée pour ce que vous êtes » — est-ce vrai ? Est-ce inscrit dans votre description de tâche ? Votre contrat spécifie-t-il « Si vous faites ceci, ceci et cela, vous obtiendrez notre considération » ? Avant d'accepter l'emploi, faites inscrire cette clause au contrat. Dites au patron : « Je comprends vos exigences et j'en ai une aussi ; je veux être considérée au travail. » Vous allez au travail et vous pensez que nous devons vous considérer. Nous ne faisons que le travail pour lequel nous sommes payés ; nous nous sommes engagés, mais d'après vous, nous devrions prendre le temps de considérer notre secrétaire juridique, car elle a besoin de considération. Voilà ce que vous demandez : laissez tomber votre intégrité pour que je puisse obtenir de la considération. Quand vous pensez que nous devrions vous apprécier et que ce n'est pas le cas, vous rompez les liens, mais en quoi cela nous concerne-t-il ? Comment réagissez-vous quand vous adhérez à cette pensée malsaine que vous devez être considérée ? Vous êtes coincée et commencez à détester votre emploi, auquel vous nous associez.

Qui seriez-vous si vous cessiez de croire que nous devrions interrompre nos activités pour vous accorder de l'attention ? Peut-être seriez-vous une personne qui ne s'interrompt pas pour remarquer si nous la considérons. Peut-être seriez-vous une personne qui s'occupe de ses affaires. Peut-être seriez-vous une personne qui aime son travail. Vous verriez votre travail plutôt que cette théorie selon laquelle nous devrions vous considérer. Puis, au moment de recevoir votre chèque de paie, vous seriez contente parce que vous sauriez que vous l'avez gagné sans tricher.

Jamais un emploi ne vous a importunée ; seule votre attitude mentale vous dérange. Vous n'avez qu'un seul emploi : être en harmonie avec vos pensées. Et la façon d'y arriver consiste à les mettre sur papier, à poser les quatre questions, à faire les inversions et à trouver les réponses en vous.

L'avenir m'indique pourquoi l'argent arrive. Cela fonctionne à l'envers. Je suis une canalisation. Il n'y a rien que je puisse faire pour ne pas obtenir tout ce dont j'ai besoin.

Si vous ne connaissez pas la vérité, elle se présentera à vous. Elle s'appelle réalité. La réalité — là où nous regardons en dernier lieu. Comment vous sentez-vous quand vous exercez un emploi en croyant que vous devriez faire autre chose ? C'est très pénible. Qui seriez-vous sans l'histoire « Je devrais exercer une activité différente » ? Vous feriez ce que vous faites en étant présent, efficace et disponible. Et quand, comme employé, votre esprit est aussi clair, vous ne gardez pas longtemps cet emploi ; vous obtenez une promotion. Cela s'appelle intégrité. C'est tellement vaste, c'est comme un puits sans fond. Inversez votre pensée : « Je ne devrais pas faire autre chose. » Pas maintenant. Peut-être y aura-t-il du changement, mais présentement ce travail est agréable. L'histoire qui m'en éloigne est la seule chose désagréable.

Bon nombre d'entre nous sommes motivés par l'envie de connaître le succès. Mais qu'est-ce que le succès ? Que voulons-nous accomplir ? Dans la vie, nous ne faisons que trois choses : nous nous tenons debout, nous nous assoyons et nous reposons à l'horizontale. Lorsque nous obtiendrons le succès, nous serons toujours assis quelque part jusqu'à ce que nous nous levions, et nous resterons debout jusqu'à ce que nous nous couchions ou nous assoyions à nouveau.

Le succès est un concept, une illusion. Désirez-vous le fauteuil à 3 900 $ plutôt que celui à 39 $? S'asseoir reste s'asseoir. Et vous pourriez remplacer le mot *fauteuil* par *automobile, maison* ou *entreprise*. Vous ne pouvez être assis qu'à une seule place à la fois. Si je pense que je devrais avoir un fauteuil différent, c'est malsain juste d'utiliser cette métaphore! Je veux deux choses en même temps, et la confusion provoque la souffrance. «Je veux un autre fauteuil» est un mensonge. Ce que je veux, c'est *ce* fauteuil, bien sûr, car c'est le seul que j'ai. Ainsi, je ne suis plus dans la confusion. Comment puis-je savoir que je veux ce fauteuil? Je suis assise dessus.

En vérité vous aimez vraiment le travail que vous pensez détester. En dehors de vos croyances, c'est le travail parfait pour vous. Comment puis-je le savoir? C'est celui que vous avez! Vous pourriez être le propriétaire de l'entreprise où vous travaillez si seulement vous vous rendiez compte que vous n'êtes pas là parce que vous devez exercer cet emploi. Quand vous laissez tomber toutes vos croyances à ce sujet, nous voulons vous avoir, nous vous payons ce que vous voulez, vous êtes irrésistible, vous êtes l'amour en action.

La pensée «Je dois aller travailler» fait de votre vie une zone de guerre. Tandis que si vous vous réveillez en sachant que vous allez travailler, vous y allez tout simplement, en paix, et le travail devient un plaisir. Par contre, quand vous vous opposez à la réalité, les croyances s'accumulent et votre bureau devient un atelier de misère.

Quand devez-vous congédier une personne ? C'est simple : quand vous voulez que le travail soit fait. Voulez-vous que le travail soit fait ou non ? Cessez de vous berner vous-même. Ainsi, vous êtes en mesure de vous adresser à la personne avec compréhension puisque vous assumez votre propre vie.

J'ai déjà effectué le Travail avec un directeur qui m'a dit : « Mon assistante travaille avec moi depuis 10 ans. Je sais qu'elle ne fait pas bien son travail, mais elle a cinq enfants. »

J'ai répondu : « Bien. Garde-la, ainsi elle pourra montrer à vos autres employés que s'ils ont assez d'enfants ils peuvent travailler pour vous, qu'ils soient compétents ou non. »

Il a répliqué : « Eh bien, je n'arrive pas à la congédier. »

Et je lui ai dit : « Je comprends. Alors, donnez son emploi à une personne qualifiée et retournez-la chez elle avec ses enfants, qui ont besoin d'elle. Chaque mois, envoyez-lui un chèque de paie. C'est plus honnête que votre manière d'agir actuelle. La culpabilité coûte cher. »

Quand ce directeur a lu sa fiche de travail (« Jugez votre prochain ») à son employée, elle a été d'accord avec tout ce qu'il avait écrit sur son rendement parce que c'était vrai et exprimé clairement. Il lui a demandé : « Que suggérez-vous ? Que feriez-vous si vous étiez *votre* employée ? » En général, les gens se congédient eux-mêmes quand ils réalisent les faits, et c'est précisément ce qu'elle a fait. Elle a trouvé un emploi semblable dans une autre entreprise, plus près de chez elle, et elle a pu ainsi être à la fois une bonne assistante et une bonne mère. Le directeur a compris qu'il n'avait jamais investigué la pensée qui le poussait à rester «loyal» envers une assistante qui, en réalité, avait été tout aussi mal que lui dans cette situation.

Votre emploi ne sert pas à vous faire gagner de l'argent, à travailler avec des gens, à impressionner vos amis ni à obtenir le respect. Votre emploi sert votre liberté. Tout — chaque homme, chaque femme, chaque enfant, arbre et caillou — sert votre liberté. Tout cela vient de Dieu, qui vous donne ce dont vous avez besoin pour être honnête.

Si tout le monde savait comment faire le Travail, il n'y aurait pas de chômage. Comment pourrait-il y avoir du chômage quand il n'existe qu'un seul travail : se connaître soi-même ?

Vos peurs ne sont rien d'autre qu'un manque d'intégrité. Cela ne fait aucun mystère. Mettez-les sur papier, investiguez-les et observez comme elles disparaissent. Et si elles reviennent, elles rencontrent un ami et la paix règne. La peur est un manque d'intégrité ; vous le savez car quand vous vivez dans le mensonge, un malaise s'empare de vous. La vie est simple jusqu'à ce que vous perdiez votre intégrité interne ; alors, vous souffrez. C'est le malaise qui vous alerte. Il vous dit : «Chéri, regarde bien et sois honnête.»

Si vous croyez vraiment en votre produit et en vous-même, jamais il n'y a de vente. Quand vous pensez savoir ce qui nous convient le mieux, vous souffrez. En réalité, vous ne savez pas ce qui nous convient le mieux. Je ne crois pas une minute posséder quelque chose qu'il vous faut. Je serais folle de le croire. Je veux pour vous ce que vous voulez pour vous-même. Être réel, voilà la seule compétence qui compte.

Si votre esprit est clair, vous pouvez passer la porte maintenant, sans amis, sans emploi, sans famille, sans argent, sans rien du tout, et vivre absolument heureux. Vous ne pouvez être *privé* de l'abondance au paradis. Dans le calme au-delà des croyances, tout est connu : où aller, quoi faire et quand. Tout. Mon mode de vie consiste à ne plus avoir à savoir quoi que ce soit — plus jamais.

Il est impossible que vous ne puissiez avoir la meilleure entreprise sur cette planète. Personne ne vous arrête, sauf vous-même — c'est la seule possibilité. Vos employés ne sont pas responsables de votre succès ; vous l'êtes. Et si vous êtes un employé, peu importe la personne pour qui vous travaillez. Si vous faites le Travail, il vous est impossible de ne pas réussir.

Quand vous êtes parfaitement prospère en affaires et que vous gagnez plus d'argent que vous ne pouvez en dépenser, qu'avez-vous obtenu ? Le bonheur ? N'est-ce pas la raison pour laquelle vous vouliez de l'argent ? Prenons un raccourci qui durera peut-être toute notre vie. Répondez à cette question : Qui seriez-vous sans l'histoire « Mon avenir dépend du fait de gagner beaucoup d'argent » ? Vous seriez une personne plus heureuse. Plus détendue. Avec ou sans argent. Vous auriez tout ce pour quoi vous vouliez de l'argent au départ.

Selon vous, croire que vous avez besoin d'argent vous protège. « Si je laissais tomber cette croyance, qui remplacerait cette peur du manque pour me pousser à faire de l'argent ? Sans cette croyance, pensez-vous, vous n'auriez pas de motivation. Comment pouvez-vous le savoir ? Pouvez-vous avoir la certitude que sans cette peur du manque qui vous pousse à gagner de l'argent, vous n'en auriez pas et seriez inactif telle une loque improductive ? Comment réagissez-vous quand vous croyez la pensée que vous n'auriez pas l'inspiration de gagner de l'argent ? J'ai entendu parler des mesures incitatives, mais selon moi, les gens y accordent un peu trop d'importance.

Il est bien de penser que vous allez perdre votre emploi. C'est excitant. Effectuez le Travail, vivez le Travail, observez, et sachez que si vous perdez votre emploi quelque chose de mieux vous attend. Toutefois, quand vous êtes prisonnier d'une croyance, vous êtes aveugle. Quelque chose de mieux existe puisqu'il n'y a que du bon dans l'Univers. «Ma vie serait beaucoup plus heureuse si je ne perdais pas mon emploi» — pouvez-vous avoir la certitude absolue que c'est vrai ? Rien n'est plus excitant que de vivre à la limite de soi et d'en être conscient.

Mon fils a perdu un très gros contrat d'enregistrement. Il m'a téléphoné et m'a dit : «Je suis tellement excité. Je viens de perdre un merveilleux contrat et j'ai hâte de voir ce que l'avenir va m'apporter de mieux !»

J'apprécie le fait que le marché boursier ne vous procurera pas un million de dollars sur un plateau d'argent, si c'est ce qu'il faut pour que vous profitiez d'une paix et d'un bonheur véritables. C'est le but de toute chose. Vous devez trouver votre propre solution. Ainsi, quand vous obtiendrez tout cet argent et que vous serez heureux, parfaitement heureux, que ferez-vous ? Vous allez vous asseoir, vous tenir debout ou vous étendre. Voilà tout ce que vous pouvez faire. Et vous serez témoin de l'histoire interne que vous vous racontez si vous n'en avez pas pris soin comme il le mérite : l'accueillir avec compréhension, à la manière d'une mère qui accueille son enfant.

Si j'avais beaucoup d'argent et que quelqu'un me disait que c'est la raison pour laquelle vous êtes mon amie, je répondrais : «Bien.» Je ne me soucie pas de la raison pour laquelle vous êtes mon amie — vos motivations ne me regardent pas. Seuls *mes* motifs me regardent et je vous dis merci d'être mon amie. Peu importe pourquoi vous êtes mon amie ; ce qui importe, c'est que vous soyez là pour moi, que vous m'appréciiez — votre raison n'est pas mon affaire.

Si vous me demandez quelque chose et qu'il est honnête pour moi de vous l'accorder, je le ferai, mais si ce ne l'est pas, je ne le ferai pas. La pensée que vous êtes motivée par mon argent me sépare de vous. Et si je ne suis pas honnête dans mes oui et mes non, c'est peut-être que je tente d'acheter votre amitié avec mon argent. Toutefois, quand mon esprit est clair, vous redevenez mon amie, à l'intérieur de moi. Peu importe ce qui nous lie. Si je crois connaître vos motifs, je viens de perdre une amie.

⚜

Vous pouvez vous asseoir et penser *Il faut que je m'occupe de mes actions*, puis investiguer cette pensée. «Est-ce vrai? Non, je ne peux en avoir la certitude.» Alors vous vous laissez imprégner du processus. Vous restez assis là avec votre passion; vous lisez, naviguez dans Internet et vous vous instruisez. De là émergera votre décision, au moment opportun. Voilà qui est merveilleux. À cause de cette décision, vous gagnerez ou perdrez de l'argent. Comme il se doit. Cependant, quand vous croyez que vous devez vous occuper de vos actions et imaginez que vous avez une emprise, vous êtes dans l'erreur pure. Suivez simplement votre passion. Faites ce que vous aimez, investiguez, et menez une vie heureuse.

⚜

La prochaine fois que vous donnerez de l'argent à vos enfants, observez que donner c'est recevoir. C'est tout ce que vous recevrez. Si vous espérez autre chose, vous souffrirez! Ce que vous recevez se trouve dans l'instant du don. Voilà tout ce que vous obtenez, puis c'est terminé. Si vous avez une seule attente, si vous espérez qu'ils soient reconnaissants, vous perdez le cadeau. L'amour est un acte impulsif.

Il est gratuit. Votre pauvreté vient de l'histoire que vous racontez à son sujet après coup. Ma générosité m'appartient; l'histoire que vous racontez à son sujet n'a aucun effet sur moi. Qu'a-t-elle à voir avec moi? Mon cadeau — voilà ce que je reçois. En vous attachant à des histoires malsaines sans investigation, voilà comment vous perdez le cadeau que vous êtes.

Quand vous perdez quelque chose, vous avez été épargné — c'est vrai, sinon Dieu est sadique. Comment puis-je savoir que je n'ai pas besoin de cet argent? Il n'est plus là! J'ai été épargnée : de toute évidence ce que j'en aurais fait aurait été beaucoup moins utile pour moi que de le perdre.

Êtes-vous capable de trouver une seule raison valable d'entretenir l'histoire que votre mari ne devrait pas commettre d'erreur dans son entreprise? Je n'arrive pas à en trouver une qui ne me fasse pas souffrir. Qui seriez-vous sans cette histoire? Peut-être vous dirait-il : »Oh mon Dieu, j'ai fait une grosse erreur et j'ai perdu tout notre argent» et vous répondriez : «Je comprends; nous faisons tous des erreurs. Que suggères-tu? Je suis là pour t'aider.» C'est d'ailleurs ce que nous faisons en fin de compte.

Au-delà de la terreur et du blâme, nous disons : «Je t'aime. Comment puis-je t'aider?» Nous sommes ainsi. Le

Travail va directement au cœur du sujet. Qui seriez-vous sans l'histoire qu'il ne devrait pas commettre d'erreur ? Il aurait un foyer et vous seriez ce foyer. En lui, vous auriez aussi un foyer — un endroit confortable.

Vous livrer au Travail sur des questions qui concernent votre emploi peut avoir des répercussions profondes. Quand je travaille avec des sociétés, j'invite parfois tous les employés à se juger les uns les autres. C'est ce que les employés et les patrons ont toujours voulu : connaître l'opinion des uns et des autres sur eux. Puis, après l'étape des jugements, ils font tous le Travail et l'inversion. Il peut en résulter une amélioration sensationnelle sur le plan de la clarté, de l'honnêteté et de la responsabilité, ce qui en retour produit inévitablement un personnel plus heureux, plus productif et plus efficace.

Si je vous engage et que vous ne satisfaites pas aux exigences, je vous remercie pour tout ce que vous avez offert et je vous congédie. Peut-être vais-je d'abord discuter avec vous pour m'assurer qu'il n'y a pas quelque chose qui m'a échappé à propos de votre rendement. Et si vous ne répondez pas à mes exigences, je vous remercie, parce que je sais que vous avez fait de votre mieux, et je vous congédie et embauche une personne qualifiée pour faire ce que je veux.

Ce n'est pas à mes employés d'accomplir ce que je veux ; c'est mon affaire. C'est moi le chef. Et la raison pour laquelle il est aimable de vous congédier, c'est que je vous libère d'une chambre des tortures et vous offre l'occasion d'investir un espace où vous *êtes* qualifié. Et grâce à ma clarté et à mon amabilité, le poste est disponible pour la personne appropriée. Tout en dehors de cette attitude serait du masochisme : ce serait mauvais pour vous et pour moi.

J'aime le Travail parce qu'il commence instantanément. C'est beaucoup plus amusant que de diriger une entreprise. Vous menez quelque chose de beaucoup plus important. Et votre entourage suit parce que quand le chef a l'esprit clair, celui des employés le devient aussi. Plus il y a de clarté dans votre compagnie, plus vous en tirez d'avantages. Vos employés doivent être attirés par cette clarté, mais à leur insu. Rien n'est plus efficace qu'un chef en présence de qui les gens peuvent être eux-mêmes.

Chaque fois que vous pensez que vos besoins ne sont pas comblés, vous racontez l'histoire d'un avenir.

La sécurité financière n'est qu'un état d'esprit. Le pire qui puisse arriver est une croyance sur ce que ce serait de perdre tout votre argent. Fermez les yeux, prenez une poussette de marché, imaginez une ville, voyez-vous dans la rue, imprégnez-vous de votre environnement, créez un lien avec ce que vous visualisez, plongez dans votre pire cauchemar. Vous êtes une clocharde. Impossible de vous en sortir. Personne ne vient vous sauver. Ce qui vous effraie, c'est votre projection de ce qu'est la vie dans la rue. Quand vous le vivez — et je l'ai vécu —, le pire qui puisse arriver se révèle en fait le chose la plus merveilleuse.

La première fois que je me suis libérée de cette vision, il faisait très froid dehors. Il avait plu, neigé et gelé, et je sirotais une tasse de thé bien au chaud. Et j'ai vu un sans-abri qui de toute évidence avait passé la nuit dehors. Il n'avait qu'une mince couverture pour le protéger et je me demandais comment il avait réussi à ne pas mourir de froid. Mais un esprit sain ne souffre pas. Quand l'esprit est clair, il n'existe aucun temps où nous ne pouvons quitter le froid et nous rendre en un lieu chaud. Dans ce calme, nous savons où aller et quoi faire. Par contre, quand l'esprit est confus, nous ne le voyons pas ; nous courons après l'argent, nous le mettons de côté et le dépensons parcimonieusement pour éviter ce cauchemar qui, en fait, est une illusion. Cet homme sans-abri n'avait pas assez de sens commun pour se libérer du froid ; son esprit n'était pas assez clair.

Voici comment vous restez au froid : il gèle dehors, vous n'avez qu'une mince couverture et vous pensez *Je pourrais aller dans cet immeuble, mais non, je suis trop débraillé, ils ne me laisseront pas entrer.* Voyez-vous comment l'investigation détruirait cette idée ? «Ils ne me laisseront pas entrer»

— pouvez-vous en avoir la certitude absolue? Comment réagissez-vous quand vous croyez qu'ils ne vous laisseront pas entrer? Vous gelez. «Je n'ai nulle part où aller» — est-ce vrai? Qui seriez-vous sans cette pensée? Votre esprit serait assez clair pour que vous échappiez au froid; vous sauriez où aller et à quel moment.

Vos pensées sont ce qui peut vous arriver de pire. Vous vous effrayez jusqu'à croire que vous devez gagner de l'argent et vivre comme un avare. «Je ne veux pas accomplir la volonté de Dieu en étant une clocharde vivant dans la rue; j'ai beaucoup plus de valeur ici dans mon foyer confortable» — pouvez-vous en avoir la certitude?

※

C'est vous qui décidez ce qui dans votre entreprise représente une erreur et ce qui n'en est pas une. En réalité, il n'y a pas d'erreur, il n'y a pas d'accident. (Mais voilà une notion un peu trop avancée pour certains d'entre nous.)

※

Le vent souffle-t-il? Avez-vous fait l'expérience de la pluie aujourd'hui? Voilà : ce qui est est. Nous commettons des erreurs, ou non; le vent souffle, ou non; ce qui est est. L'histoire que vous racontez — c'est là le paradis ou l'enfer. Il y a cependant une chose sur laquelle vous pouvez compter : les gens feront ce que vous considérez comme des erreurs. Vous pouvez les congédier, les injurier, divorcer d'eux, mais vous pouvez être certaine que la personne devant vous fera une erreur. Il ne vous reste donc plus qu'à investiguer ce concept. Il n'y a rien de mieux à faire. Si vous croyez que les gens ne devraient pas faire d'erreur, bienvenue en enfer.

❦

L'histoire « J'ai besoin de plus d'argent » est ce qui vous empêche d'atteindre la richesse. Chaque fois que vous pensez que vos besoins ne sont pas comblés, vous racontez l'histoire d'un avenir. Présentement, vous êtes censé posséder exactement l'argent que vous avez. Ce n'est pas une théorie ; c'est la réalité. Combien d'argent possédez-vous ? Eh bien, vous êtes censé avoir exactement ce montant. Si vous ne le croyez pas, vous n'avez qu'à regarder le solde de votre compte. Comment savez-vous que vous êtes censé en avoir davantage ? Quand vous en avez plus. Comment savez-vous que vous êtes censé en avoir moins ? Quand vous en avez moins. Cette prise de conscience est la véritable abondance. Vous n'avez alors plus de souci lorsque vous êtes à la recherche d'un emploi, allez travailler, faites une promenade ou remarquez que votre placard est vide.

❦

Il n'existe pas d'entreprise où le Travail ne s'applique pas. J'entends des dirigeants, des barbiers, des thérapeutes, des employés pénitentiaires et des médecins dire que quoi qu'implique leur travail, il y a toujours des moyens d'amener les gens à se prendre en main.

Si je n'avais pas d'argent, je ferais tout ce qu'il faut pour payer mes comptes. Mais je n'aurais pas besoin d'un plan pour me montrer à quoi ressemblerait ma situation. Il me viendrait à l'idée de laver des planchers, de faire des ménages et j'aimerais ces activités. Je passerais d'une à l'autre. Un emploi me mènerait à un autre et j'exercerais mes fonctions juste pour moi-même, avec plaisir. Je ne peux pas ne pas être riche. Cela n'a rien à voir avec l'argent.

Vous pouvez occuper n'importe quel emploi, n'importe quand, et l'argent ne sera pas un problème, sauf en ce qui concerne votre système de croyances. Vous pouvez travailler dans un boui-boui à hamburgers au salaire minimum. Et si vous maintenez votre intégrité et évitez d'entretenir des croyances à propos des apparences, peut-être deviendrez-vous propriétaire de la chaîne de restaurants. Parce que votre intégrité nous attire et qu'elle ne s'achète pas, nous recherchons à tout prix votre présence.

Si je me mets dans le pétrin, je m'en sors. Et si je déclare faillite, je finis par rembourser toutes mes dettes parce que ce mode de vie m'offre la liberté que je cherche. Ce n'est pas grave si je ne peux que remettre 10 sous par mois, j'agis comme une personne respectable, pas à cause de ma spiritualité, mais parce qu'autrement je souffre.

❀

Votre tâche est d'apprécier ce qui est, incluant votre patron. L'apprécier, c'est vous apprécier vous-même.

❀

Je ne prête jamais d'argent. Je le *donne* et les gens qualifient mon don de prêt. Et s'ils me remboursent, je sais alors qu'il s'agissait d'un prêt.

❀

Selon la volonté de Dieu, je ne dois rien posséder, malgré la quantité de biens que je semble avoir. Voilà pourquoi j'aime quand les gens viennent prendre mes choses. C'est ainsi que je constate s'il reste encore de l'attachement en moi, une toute petite trace de possession. Car il n'y a qu'une joie dans la vie : me détacher.

Vous ne pouvez abandonner vos possessions ; cela ne fonctionne pas ainsi. Vous investiguez vos croyances au sujet de votre père ou de votre mère, par exemple, et quelque chose qui n'a absolument aucun rapport avec eux se produit, puis vous expérimentez la liberté. Les voleurs prennent tout ce que vous avez et les gens disent : «Oh, pauvre vous, comme c'est terrible!» et vous ne vous sentez pas du tout malheureux ; cela vous fait rigoler, vous émoustille, parce que vous prenez conscience de toutes les pensées stressantes qui pourraient vous assaillir. Et vous n'avez fait qu'abandonner une croyance.

J'ai connu une femme richissime. Son père l'adorait, elle l'adorait aussi, et il lui montrait son amour en lui donnant de l'argent. C'était un cadeau extraordinaire mais elle ne l'utilisait pas pour elle et vivait dans la pauvreté car elle ne pensait pas le mériter. Elle croyait devoir faire quelque chose pour mériter tout cet argent. Puis, elle s'est rendue compte que cette pensée l'éloignait de son père et d'elle-même.

Il existe un énorme préjudice envers les personnes qui ont de l'argent et c'est ce qui crée la séparation. Elle a découvert qu'elle était comme son père ; elle était trop généreuse. Elle offrait constamment son argent à ses maris, qui n'en gagnaient plus après l'avoir épousée. Son père le lui donnait et elle le donnait à ses maris. C'est ce qu'on appelle de la générosité ; c'est ce qu'on appelle de l'amour. Elle a fini par voir qu'elle agissait ainsi pour elle-même et que la souffrance venait du fait de se cacher cette vérité.

Quand je reçois de l'argent, je suis ravie, juste ravie, parce que je suis consciente qu'il n'est pas à moi, que je ne suis qu'un canal. Je ne suis même pas la personne qui le gère, je n'en suis que l'observatrice. Dès le moment où je l'obtiens de l'extérieur, un besoin de cet argent apparaît ici. C'est étonnant.

Comment réagissez-vous quand vous adhérez à la croyance que vous seriez plus heureux avec davantage d'argent ? Vous devenez malheureux dans le présent. Vous vous empêchez de vivre jusqu'à ce que vous ayez plus d'argent. Il est tellement plus facile d'être heureux dès maintenant. Le Travail vous apporte ce bonheur à chaque moment jusqu'à ce que cet espace devienne si vaste que vous comprenez clairement comment gagner de l'argent et que vous en avez, que vous n'avez pas à vous rendre ailleurs et que vous êtes là où vous avez toujours voulu être. Voici où vous ont conduit toutes vos pensées. Et si vous êtes pleinement ici, cet *ici* vous offre tout ce que vous avez toujours voulu. C'est très plaisant parce qu'*ici* est le lieu où vous êtes en permanence.

Être présent signifie vivre sans rien contrôler et constater que vos besoins sont toujours comblés.

Le monde entier vous dira que vous ne devez pas vivre dans le désordre. C'est notre religion. Cependant, le

155

châtiment que renferme le concept «Je ne dois pas vivre dans le désordre» n'a jamais été efficace jusqu'à maintenant. Un esprit désordonné vit une vie désordonnée. Il est inutile alors de tenter de mettre de l'ordre dans votre foyer, dans votre bureau, sur votre table de travail. Mais si vous mettez de l'ordre dans vos pensées, il devient alors facile de le faire chez vous et à votre travail. Vous travaillez avec votre esprit et vous transformez votre vie. Le problème n'est pas le désordre dans votre bureau. Votre patron peut vous dire : «Je vais te donner un million de dollars si tu réussis à garder ton bureau bien rangé pendant un an» et ce sera peine perdue car vous ne savez pas comment faire. «Je dois tout ranger?» Non, vous devez remettre de l'ordre dans vos pensées. Il n'y a pas d'autre désordre à ranger. Et quand vous le faites, le reste suit.

※

L'abondance n'a rien à voir avec l'argent. L'argent n'est pas votre affaire; la vérité est votre affaire. Vous devriez avoir plus d'argent que vous n'en avez? Je ne pense pas. Vous devriez avoir moins d'argent? Je ne pense pas. Vous êtes censé avoir exactement ce que vous avez.

※

L'argent est une métaphore merveilleuse. Il circule d'ici à là-bas, passe par tous les pays, par les systèmes et les fils téléphoniques. Il nous indique comment être, mentalement :

comment circuler librement, sans frontières, comment prendre toutes les formes qui soient. Il nous montre comme il est facile d'apparaître et de disparaître, en tout temps. C'est un grand gourou. Si vous étiez tel l'argent, vous seriez parfaitement amoureux de ce qui est.

D'après mon expérience, il n'y a rien de plus amusant que l'épanouissement personnel. N'est-ce pas la raison pour laquelle nous désirons de l'argent — pour connaître le bonheur et la paix ? Et ce qu'a de merveilleux l'investigation, c'est que vous pouvez vous y adonner à partir de là où vous êtes — pendant que vous gagnez de l'argent, à la maison, avec la personne aimée ou seul avec vous-même. La vie est intérieure.

157

À PROPOS DE
L'ÉPANOUISSEMENT PERSONNEL

La vie au-delà de l'investigation est si simple et évidente que vous ne pouvez l'imaginer. Tout est perçu comme étant à son meilleur, tel quel. L'espoir et la foi sont superflus ici. La Terre est en réalité le paradis que je désirais. Voilà la vie inimaginable que je vis, que nous vivons tous.

La meilleure description que je puisse faire avec des mots, c'est que je suis votre cœur. Je suis ce à quoi vous ressemblez intérieurement. Je suis le lieu le plus agréable d'où vous venez. Vous m'aimez ou me détestez dans la mesure où vous vous aimez ou vous détestez. Je ne suis personne. Je ne suis qu'un miroir. Je suis le visage dans le miroir.

À mesure que vous laissez tomber le filtre que j'appelle histoire, vous commencez à entendre votre propre essence à un niveau plus élevé, et elle parle comme moi, mais à sa manière : brillante, personnelle. Il y a une résonance qui jamais ne quitte le centre. Vous l'honorez parce que vous avez pris conscience que vous ne possédez pas de vie authentique en dehors d'elle.

J'ignore si vous devez ou non souffrir. Je respecte votre chemin tout autant que le mien. Je comprends que vous soyez hypnotisé par votre histoire et que vous vouliez la conserver. Si vous affirmez *ne pas* vouloir souffrir, je suis là pour vous aider. À l'aide de l'investigation, nous explorerons ensemble aussi profondément que vous le voudrez. Quoi que vous direz, j'y prêterai attention. Quoi que vous demanderez, je vous le donnerai. Je vous aime, parce que je suis tout à fait égoïste. Vous aimer revient à m'aimer.

D'après mon expérience, la seule souffrance est la confusion. La confusion, c'est se battre contre la réalité. Quand votre esprit est parfaitement clair, la réalité est ce que vous voulez. Ainsi, quand vous désirez autre chose que ce qui est, c'est que vous êtes dans la confusion totale.

Je suis ici pour lever le mystère sur tout. C'est facile parce qu'en fait rien n'existe. Il n'y a que l'histoire qui apparaît présentement. Et d'ailleurs, elle n'existe pas plus que le reste.

❦

Le Travail nous ramène constamment à la personne que nous sommes vraiment. Toute croyance investiguée et comprise permet à la suivante de se manifester. Vous la supprimez, puis la suivante, et ainsi de suite. Puis, vous découvrez que vous avez hâte de voir poindre la prochaine croyance. À un moment donné, peut-être observerez-vous que vous accueillez chaque pensée, sentiment, personne et situation comme un ami. Et vous cherchez les problèmes, jusqu'à ce que vous remarquiez que vous n'en avez pas eu depuis des années.

❦

Par l'investigation nous découvrons comment l'attachement à une croyance ou à une histoire apporte la souffrance. En l'absence d'histoire, il n'y a que la paix. Puis arrive une pensée, nous la tenons pour vraie et la paix semble disparaître. À ce moment, nous remarquons un stress, investiguons l'histoire qui se trouve derrière et nous rendons compte qu'elle n'est pas vraie. Le sentiment de stress nous avertit que nous nous opposons à ce qui est en adhérant à cette pensée. Il nous fait savoir que nous sommes en guerre contre la réalité. Quand nous nous apercevons que nous croyons un mensonge et vivons comme s'il était vrai, nous devenons présents à l'extérieur de notre histoire. Puis l'histoire s'estompe à la lumière de la conscience et seule la conscience de ce qui est demeure. Sans histoire nous sommes la paix, jusqu'à ce qu'arrive la prochaine histoire stressante. L'investigation finit par vivre en nous en tant que réaction intérieure naturelle de la conscience devant les pensées et les histoires qui font surface.

Si vous voulez que la réalité soit différente de ce qu'elle est, mieux vaut essayer d'apprendre à un chat à japper. Vous pouvez essayer et essayer mais en fin de compte le chat lèvera la tête vers vous et fera « miaou ». Il est désespéré de vouloir que la réalité soit autre. Voulez-vous passer le reste de votre vie à montrer à un chat à japper ?

Je suis amoureuse de ce qui est, pas à cause de mes valeurs spirituelles mais parce que je souffre quand je me bats contre la réalité. Aucune attitude mentale n'y peut rien. Ce qui est est. Tout ce dont j'ai besoin est ici maintenant. Comment puis-je savoir que je n'ai pas besoin de ce que je veux ? Je ne l'ai pas. Tout ce dont j'ai besoin m'est fourni.

Vous ne pouvez vivre un haut sans un bas. Vous ne pouvez avoir une gauche sans une droite. C'est la dualité. Quand vous avez un problème, vous avez une solution. Voici la question à poser : Voulez-vous vraiment la solution, ou voulez-vous perpétuer le problème ? La solution est toujours là. Le Travail peut vous aider à la trouver. Écrivez le problème, investiguez-le, inversez-le et voilà votre solution.

Je suis votre cœur. Je suis la profondeur que vous n'écoutez pas : juste sous votre nez, ici. Il faut parler plus fort parce que vos croyances créent un blocage. Je suis vous au-delà du Travail. Je suis la voix, tellement assourdie par les croyances que vous ne pouvez l'entendre en vous-même. J'apparais donc ici, sous votre nez — c'est-à-dire en vous-même.

La peur n'a que deux causes : la pensée de perdre ce que vous avez ou la pensée de ne pas avoir ce que vous voulez. Dans les deux cas, le pire qui puisse arriver est une histoire. Rien de ce qui vous est nécessaire ne peut vous être enlevé. Et personne ne peut détenir quelque chose dont vous avez besoin. Le besoin est une histoire que vous vous racontez. C'est un mensonge qui vous fait souffrir et vous sépare de vous-même. Vouloir ce qui n'existe pas vous sépare de ce qui est.

Un sentiment est le complément d'une pensée qui surgit. Ils sont comme la gauche et la droite. Quand une pensée vous vient, simultanément un sentiment apparaît. Et un sentiment désagréable est une sorte d'alarme compatissante qui vous dit : « Tu es dans un rêve. » Il est alors temps d'investiguer. Mais si nous ignorons cette alarme, nous tentons de modifier et de trafiquer le sentiment en adhérant à un monde extérieur apparent. Généralement, nous prenons conscience du sentiment en premier. C'est pourquoi je dis que c'est une alarme qui vous avertit que vous entretenez une pensée que vous voudrez peut-être investiguer. Quand quelque chose n'est pas acceptable pour vous, quand vous souffrez, pourquoi ne pas vous adonner au Travail ?

Quand vous n'êtes plus dans votre propre univers mentalement, immédiatement vous expérimentez la séparation, la solitude et la peur. Si vous vous sentez seul ou triste, vous pouvez vous demander : « Dans l'univers de qui suis-je mentalement ? » Juste de prendre conscience que vous êtes dans l'univers d'une autre personne peut vous ramener à votre merveilleux soi. Quel espace agréable ! Chez vous.

Il n'y a pas de problèmes physiques — seulement des problèmes mentaux.

La dépression, la souffrance et la peur sont des cadeaux portant ce message : «Chérie, examine les pensées que tu entretiens présentement. Tu vis à l'intérieur d'une histoire qui est fausse pour toi.» Vivre sa vie est toujours stressant. Et investiguer un mensonge par le Travail vous ramènera toujours vers qui vous êtes. Qui vous êtes n'est pas une option. Vous êtes amour. Il est souffrant de croire que vous êtes autre que ce que vous êtes, de vivre toute autre histoire qui n'est pas l'amour.

Je suis vous. Je suis tellement fusionnée à vous que lorsque vous respirez, c'est mon souffle. Quand vous vous assoyez, c'est moi qui m'assois. Vous prononcez des paroles et je suis tout à fait présente à ce moment. C'est comme si je vous possédais et que vous me possédiez. Votre voix est la mienne, littéralement. Et pour moi aucun sens ne s'y rattache ; ainsi, je peux vous rejoindre où que vous soyez, sans préjudice ou séparation.

Cela parle parce qu'il en est ainsi. Si je pensais que c'est moi qui parle, ce ne serait pas si insensé. Mon seul but est de faire ce que manifestement je fais. Quand j'accomplis le Travail avec des gens, mon but consiste à leur poser des questions.

S'ils me posent une question, mon but est d'offrir mon expérience dans ma réponse. Je suis un effet de leur souffrance ; il n'y a pas de cause qui surgit ici. La cause est ce que les gens nommeraient en dehors de moi, et leur extérieur est mon intérieur. Quand quelqu'un parle, j'écoute. Quand quelqu'un pose une question, je donne une réponse.

S'attacher à une pensée, c'est croire qu'elle est vraie. Quand nous n'investiguons pas, nous tenons pour acquis qu'une pensée est vraie, même si nous ne pouvons en être sûrs. L'attachement nous empêche de prendre conscience que nous sommes déjà la vérité. Nous ne nous attachons pas aux choses, mais aux histoires que nous racontons à leur sujet.

Les pensées sont nos amies, pas nos ennemies. Elles ne sont que ce qui est. Elles apparaissent. Elles sont innocentes. Ce n'est pas nous qui les créons. Elles ne sont pas personnelles. Elles s'apparentent à la brise, aux feuilles d'un arbre ou aux gouttes de pluie. Les pensées surgissent tout simplement et nous pouvons nous lier d'amitié avec elles. Vous disputeriez-vous avec une goutte de pluie ? Les gouttes de pluie ne sont pas personnelles, pas plus que les pensées. C'est le sens que vous leur donnez que vous jugez personnel. Investiguez. Accueillez-les avec compréhension. Quand vous abordez un concept pénible avec compréhension, la prochaine fois qu'il surgira, peut-être vous paraîtra-t-il intéressant. Ce qui auparavant était un cauchemar vous semble maintenant juste intéressant. Puis, s'il réapparaît, peut-être le trouverez-vous amusant. Et la fois suivante, peut-être ne le remarquerez-vous même pas. Il n'y aura plus d'attachement. J'accueille mes pensées comme j'accueillerais mes enfants. Avec amour, douceur et une paisible compréhension.

Si vous compreniez suffisamment « les trois types d'affaires » pour demeurer dans la vôtre, votre vie serait libérée à un point tel que vous ne pouvez imaginer. La prochaine fois que vous éprouverez du stress ou un inconfort, demandez-vous dans quelle affaire vous vous trouvez mentalement. Peut-être éclaterez-vous de rire. Cette question peut vous ramener à vous-même. Il est bien possible que vous vous aperceviez que vous n'avez jamais été vraiment présent, que toute votre vie vous avez vécu mentalement dans les affaires de quelqu'un d'autre. Et si vous mettez ceci en pratique pendant un certain temps, peut-être verrez-vous qu'il n'y a en fait aucune affaire qui *vous* appartienne et que votre vie se déroule parfaitement par elle-même.

Je fais le Travail avec vous parce que vous croyez en avoir besoin. Ce n'est pas ce que je pense ; je vous aime tel que vous êtes. C'est ainsi que j'agis avec moi-même. Vous êtes ma vie intérieure. Vos questions sont donc mes questions. C'est juste moi en train de solliciter ma propre liberté. Cela s'appelle l'amour de soi. Et c'est toujours parfaitement intéressé.

Quand une personne facilite le Travail en donnant les quatre questions, elle reçoit à un autre niveau ce que j'ai originalement reçu en moi. Si elle reste vraiment neutre, sans aucun motif, elle se trouve alors à l'endroit où je suis, de l'autre côté. Cela nourrit la liberté. C'est intérieur ou extérieur : illimité.

D'où que vous veniez, je vous rencontrerai à cet endroit. Voilà pourquoi il semble y avoir une contradiction dans certaines de mes paroles. Je viens de directions diverses et elles sont toutes vraies. Chaque poste d'observation est valable. Cela peut avoir l'air d'un parfait escamotage ou encore d'un chiot qui se mord la queue ; cela ne semble aller nulle part. Cela peut avoir l'air de quelqu'un qui parle par énigmes. Cela peut semer la confusion et, à partir d'un poste d'observation, être impossible à suivre.

L'une des qualités merveilleuses du Travail, c'est que je peux parler avec une personne qui ne percevra pas de paradoxe parce que nous sommes si intimement unies, tandis que pour quelqu'un d'autre dans l'auditoire, ce sera du charabia. Toutefois, si vous écoutez sans tenter de comprendre ce que je veux dire — juste en vous laissant imprégner par cette expérience, en descendant en vous-même pour y trouver vos propres réponses plutôt que d'attendre que la personne devant vous le fasse — vous ne recevrez plus mes paroles comme du charabia. Cela vous paraîtra tout à fait sensé.

Les gens me demandent souvent si je suis un être éclairé. Je ne connais rien sur ce sujet. Je suis seulement une personne qui connaît la différence entre *ceci me fait souffrir* et *ceci ne me fait pas souffrir*. Je suis une personne qui ne veut que ce qui est. Accueillir tel un ami tout concept qui se présente m'a donné ma liberté. Voilà où commence et se termine le Travail : en moi. Le Travail dit : « Aimez tout, exactement tel que c'est » et vous indique comment le faire. La sagesse, c'est tout simplement connaître la différence entre ce qui nous fait souffrir et ce qui ne nous fait pas souffrir. Nous y trouvons une immense liberté. Cela n'exige pas de toujours bien faire. Cela vous permet simplement de cesser de vous berner et de faire ce que vous faites en toute conscience. Une voie mène à la souffrance et l'autre, à la paix.

Le monde est la perception que vous en avez. L'intérieur et l'extérieur concordent toujours — ils se reflètent l'un l'autre.

Le monde est le reflet de votre esprit. Si à l'intérieur vous expérimentez le chaos et la confusion, votre monde extérieur le reflètera. Vous devez voir ce que vous croyez, parce que vous êtes le penseur confus qui regarde à l'extérieur et se voit. Vous êtes l'interprète de tout et si vous êtes dans le chaos, ce que vous voyez et entendez sera chaotique. Même si Jésus ou le Bouddha se tenaient devant vous et vous parlaient, vous n'entendriez que des paroles confuses puisque l'auditeur serait la confusion. Vous n'entendriez que ce que vous croyez qu'ils disent et dès que votre histoire serait menacée, vous vous opposeriez à eux.

❀

La volonté de Dieu et la mienne sont la même, que j'en sois consciente ou non.

❀

Il est insensé de penser savoir ce qui convient le mieux à une autre personne. Il en résulte de l'inquiétude, de l'anxiété et de la peur. Quand vous sortez de votre univers, mentalement, vous croyez en savoir davantage qu'autrui ou Dieu. Voici la seule question qui se pose : « Puis-je savoir ce qui me convient le mieux ? » Voilà la seule chose qui vous regarde. Et, comme vous finirez par le découvrir, pas même elle ne vous regarde.

❀

J'aime que le Travail m'amène à me rendre compte que les deux états — celui que nous appelons le bonheur et celui que nous qualifions d'ordinaire — sont égaux. L'un n'est pas supérieur à l'autre. Il n'y a rien vers quoi tendre, rien à laisser derrière soi. C'est la beauté de l'investigation — peu importe où nous sommes, tout est bien.

⁂

Je n'emploierais pas le mot *maître* pour me décrire, même si je le respecte. Vous me posez une question, je vous réponds, vous entendez ce que vous croyez que je dis, et vous vous libérez. Je suis votre projection. Pour vous, je suis, ni plus ni moins, l'histoire que vous avez élaborée à mon sujet. Vous racontez l'histoire que je suis si merveilleuse ou si terrible. Vous me voyez comme un être éclairé et faites de moi un sage gourou ou une marraine fée, ou vous me percevez comme un charlatan spirituel nouvel-âge, ou encore comme une amie. Ce que je veux, c'est que vous me voyiez de la manière dont vous me voyez. C'est cette vision qui est valable. Vous me donnez à vous ou vous me retirez de vous. Je ne veux que ce que vous voulez.

⁂

Le mot *maître* sous-entend que nous n'enseignons pas tous de manière égale et que nous ne possédons pas tous la même sagesse. Et ce n'est pas vrai. Nous avons tous la même sagesse. Elle est répartie parfaitement également. Personne n'est plus sage qu'un autre. Personne à part vous-même ne peut vous enseigner quoi que ce soit.

L'avantage de ne pas avoir de maître, c'est qu'ainsi il n'y a pas de tradition, donc rien à quoi vous attacher. Celui-ci ne ressemble à rien, sauf à ce qu'il est. C'est un parfait idiot — il ne connaît que l'amour. C'est Dieu comblé. Il vient retirer le mystère et l'importance de toute chose. Il en retire l'énergie et le temps.

Vous ne pouvez prendre une mauvaise décision ; vous n'expérimentez que l'histoire qui raconte comment *vous* l'avez prise. J'aime poser cette question : « Vous respirez-vous ? » Non ? Alors, peut-être bien que vous ne vous pensez pas et que vous ne prenez pas de décisions non plus. Peut-être que cela ne bouge pas jusqu'à ce que cela bouge, comme un souffle, comme le vent. Et vous racontez l'histoire de votre manière de faire, ce qui vous empêche de prendre conscience que vous êtes la nature, coulant parfaitement. Qui seriez-vous sans l'histoire que vous devez prendre une décision ? Si cela fait partie de votre intégrité de prendre une décision, prenez-la. Et devinez quoi ? Dans cinq minutes, peut-être changerez-vous d'idée et ce sera encore « vous ».

J'aime parler à partir de ce lieu, la Terre. J'aime ce que j'appelle mon déguisement. La première chose que j'ai faite à mon réveil a été de tomber amoureuse de la forme. Je suis tombée amoureuse des yeux, du plancher et du plafond. Je suis cela. Je suis cela. Je suis cela. C'est à la fois rien et tout. J'aime la Terre. J'aime le corps qui est moi. Aucune partie n'est séparée. Juste d'être née ici les yeux ouverts est suffisant. Juste d'être née, maintenant, dans cette bonté.

Chaque fois que vous m'y inviterez, je sauterai dans votre rêve. Je n'ai aucune raison de ne pas le faire. Je vous suivrai dans le tunnel, dans la noirceur, jusqu'aux enfers. J'irai et je vous tiendrai la main ; nous traverserons tout cela ensemble dans la lumière. Il n'y a pas de lieu où je ne vais. Je suis tout, partout. Tout est un rêve. Je vais vous le montrer. Ce qu'il y a de bien dans les quatre questions, c'est que l'histoire n'importe pas. Elles attendent tout simplement d'être posées.

Il m'arrive souvent de parler du point de vue d'une personnalité, de l'humanité, de la Terre, de Dieu, d'un rocher. Et je m'appelle alors «cela» parce que je n'ai pas de point de référence pour la séparation. Je suis toutes ces choses, et je n'ai aucun concept que je ne le suis pas. J'ai simplement appris à parler d'une manière qui n'aliène pas les gens. Cela me rend inoffensive, invisible, inconnue. Cela fait de moi un lieu confortable pour les autres. Je leur parle comme une amie et ils me font confiance parce que je les accueille où qu'ils soient. Comment je procède ? Je suis amoureuse. Je vis un amour passionné bienheureux. C'est une histoire d'amour. Rencontrer les gens là où ils sont, sans aucune condition, c'est me rencontrer moi-même sans condition. C'est la chose la plus simple au monde. Je suis constamment imprégnée de cette histoire d'amour. Je suis amoureuse de tout. C'est parfaite vanité. J'embrasserais le sol sur lequel je marche — c'est tout moi. Toutefois, embrasser le sol attirerait l'attention. C'est ce à quoi ont ressemblé les trois premières années à la suite de mon réveil. C'est plus subtil maintenant, plus invisible. Cela a mûri.

Les décisions sont faciles. Ce qui n'est pas facile, c'est l'histoire que vous racontez les concernant. Quand vous sautez d'un avion et tirez sur la corde du parachute et qu'il ne s'ouvre pas, vous ressentez de la peur, parce qu'il y a une autre corde. Vous tirez donc sur cette autre corde et le parachute ne s'ouvre pas. Et c'est la dernière corde. Maintenant il n'y a plus de décision à prendre. Quand il n'y a plus de décision, il n'y a plus de peur ; alors, profitez du voyage ! Et c'est ma position : je suis amoureuse de ce qui est. Ce qui est : pas de corde à tirer. C'est ce qui arrive déjà. Chute libre. Je n'y peux rien.

Je suis amoureuse de la réalité parce que je connais la liberté et le pouvoir que cela me procure. Je ne veux que ce qui est. Voilà tout. En voulant changer les choses, je ne pourrais qu'être perdante. Même une pensée aussi simple que : «Je ne suis pas bien» peut être déprimante, parce que c'est un pur mensonge. Même sur mon lit de mort, je suis bien.

Mon expérience personnelle est que je vis dans la plénitude, et c'est le cas de tous. Je marche dans la paix. Je ne sais rien. Je n'ai pas besoin de comprendre quoi que ce soit. J'ai abandonné 43 ans de pensées qui n'allaient nulle part et maintenant je vis dans un esprit qui ne connaît rien. Il ne reste que la paix et la joie dans ma vie. C'est la satisfaction absolue de regarder tout se déployer devant moi en tant que moi.

Toute histoire que vous racontez à propos de vous provoque la souffrance. Il n'y a pas d'histoire authentique.

Quelle est l'intention de Dieu? L'intention de Dieu concerne qui? S'ingérer mentalement dans les affaires de Dieu, c'est s'isoler immédiatement. Voilà pourquoi je conserve ce centre solide — Dieu est tout, Dieu est bon. Je connais son intention; c'est exactement ce qui est, à chaque moment. En fait, *Dieu* est une autre façon de nommer ce qui est. Je n'ai plus à me poser de questions ; c'est réglé. Je n'ai pas besoin de sortir de moi-même pour intervenir dans les affaires de Dieu. C'est simple. Dieu est tout, Dieu est bon. Et à partir de cette base, il est clair que tout est parfait. Puis, si nous investiguons, nous perdons cela même. Et c'est l'intimité. C'est Dieu Lui-même. Un avec. Un comme. Lui-même.

Ce n'est pas à vous de m'aimer — c'est à moi.

Les quatre questions ont révélé chaque histoire et l'inversion m'a ramenée à la personne qui raconte — moi. Je suis la conteuse. Je suis devenue l'histoire que je me raconte. Et je suis ce qui vit, antérieurement à chaque histoire. Chaque histoire, chaque chose, est Dieu : la réalité. Il émerge manifestement de Soi-même et devient une vie. Il vit éternellement à l'intérieur de l'histoire, jusqu'à ce qu'elle prenne fin. Émergeant de Soi-même, je suis apparue sous la forme de mon histoire jusqu'à ce que les questions m'ouvrent les yeux. J'aime que l'investigation soit infaillible. Histoire : souffrance ; investigation : absence d'histoire. La liberté est possible en tout temps. C'est le Travail, la grande déconstruction.

Je me présente telle une ressource inexploitée. Je suis ici pour offrir l'antivirus que j'appelle le Travail à ceux qui pensent qu'il peut leur être utile. Ce n'est pas pour tout le monde. Ce n'est qu'une offre. C'est ce qui peut servir. Pas mes paroles, pas ma présence, rien de moi n'a de valeur. Ce qui a de la valeur ne peut être vu ni entendu. Je suis invisible. Toutefois, les quatre questions et l'inversion sont manifestes. C'est là où se trouve la valeur. C'est ce que les gens peuvent expérimenter quand ils en ont assez de souffrir. Ils peuvent s'en servir puisque cela leur appartient. Si cela semble personnel, comme si cela m'appartenait, personne ne peut l'accepter parce qu'il n'y a rien de personnel et les gens le savent au plus profond d'eux-mêmes. Ils peuvent poser les questions et se trouver eux-mêmes. Les questions sont le chemin qui nous ramène à nous-mêmes. C'est le lieu où je peux être comprise. Je suis vous dans les réponses. Au centre, c'est là où nous nous rencontrons. Ce n'est que là que je peux être vue, entendue ou comprise ; au centre, le cœur, la vérité. Ce n'est que là que j'apparais.

Quand nous aimons ce qui est, il devient si simple de vivre dans le monde. Le monde est exactement tel qu'il devrait être. Tout est Dieu. Tout est bon. Nous aurons toujours ce qu'il nous faut, non pas ce que nous croyons qu'il nous faut. Puis, nous finissons par comprendre que ce qu'il nous faut est justement ce que nous avons et, en plus, ce que nous voulons. En bout de ligne, nous ne voulons que ce qui est. Ainsi, nous sommes toujours gagnants, quoi qu'il arrive.

Mon expérience est que je suis libre. C'est mon mode de vie intérieur. J'ai investigué mes pensées et découvert qu'elles n'avaient pas de sens. Je brille de la joie de la compréhension. Je sais ce qu'est la souffrance, je sais ce qu'est la joie, et je sais qui je suis. Je suis la bonté. C'est ce que nous sommes tous. Il n'y a pas de mal ici. Je m'éteindrais avant de marcher intentionnellement sur une fourmi, parce que je sais vivre. En l'absence d'histoire, il n'y a pas d'inquiétude. Quand il n'y a rien à faire, nulle part où aller, personne à incarner, ni passé ni futur, tout est bien. Tout est bon.

À quoi ressemble la compassion ? À des funérailles, contentez-vous de manger du gâteau ! Il n'est pas nécessaire de savoir quoi faire. Cela vous est révélé. Quelqu'un viendra vous embrasser. Cela parle. Ce n'est pas vous qui le faites. La compassion n'est pas un acte. Ce n'est pas la peine d'y penser ; mangez le gâteau. Si vous êtes lié par la douleur, vous vous tenez debout ou êtes assis. Et si vous ne souffrez pas, vous êtes tout de même debout ou assis. Dans un cas, vous êtes à l'aise ; dans l'autre, vous ne l'êtes pas.

Dans ce moment uniquement (qui n'existe pas) vous êtes dans la réalité. Tout le monde peut apprendre à vivre dans le moment, à vivre le moment, à aimer ce qui est devant soi, à l'aimer comme soi. Le miracle de l'amour se présente à vous en présence du moment non interprété. Si vous êtes ailleurs mentalement, la vraie vie vous échappe.

J'expérimente tout au ralenti. Plus précisément, j'expérimente tout image par image par image. C'est comme lire une bande dessinée dans le journal. Chaque image dit quelque chose. Pour moi, chaque mot est une image. Chaque moment est une image. Chaque image est un univers en soi, distinct des autres. Il contient tout en soi. C'est comme le roc couvert de lichen que vous regardez à travers une loupe ; un univers en soi, où tout se tient.

Quand je marche, chaque mouvement à l'intérieur d'un pas est complet en soi. C'est un pas à la fois, mais c'est aussi tout ce qui se trouve dans l'intervalle. Maintenant. Maintenant. Maintenant. Maintenant. Littéralement, le temps et l'espace n'existent pas ; pas de passé, de futur ni de présent, pas même quelqu'un qui arrive et s'en va. Il n'y a que cela, tel quel — maintenant. Pas de sens, pas de motif. Et finalement, vous arrivez à un endroit où rien ne bouge. C'est chez vous, le lieu où nous voulons tous aller, le point fixe, le centre de l'Univers, le zéro absolu.

Quand quelque chose est terminé, c'est terminé. Nous savons tous quand ce moment arrive et nous pouvons le respecter ou ne pas en tenir compte. Quand ma main saisit une tasse de thé, je me fonds entièrement à cette tasse, même si j'ignore si je vais boire une gorgée, trois gorgées, dix gorgées ou toute la tasse.

L'autre jour, quelqu'un m'a donné un cadeau précieux que j'aime beaucoup. Mais le cadeau était dans l'acte de recevoir. Puis, ce fut terminé et j'ai remarqué que je l'ai donné aussitôt. Sa mission était terminée. Au-delà de l'acte de donner et de recevoir, même le plus précieux des objets n'a aucune valeur.

Il y a une telle abondance ici, maintenant, toujours. Il y a une table. Il y a un plancher. Il y a une carpette sur le plancher. Il y a une fenêtre. Il y a un ciel. Un ciel! Il y a deux amis — pas un, pas zéro, mais deux. Je pourrais continuer à décrire ainsi le monde dans lequel je vis présentement. Et cela prendrait toute une vie pour décrire ce moment, ce maintenant, qui n'existe même pas, sauf en tant que mon histoire. Et n'est-ce pas merveilleux? La réalité telle qu'elle est. Elle est tout simplement. Je pourrais mourir dans une telle abondance. Et je n'ai rien fait pour l'avoir; je l'ai juste remarquée.

Nous achetons une maison pour nos enfants, pour notre corps; nous avons un garage pour notre auto, une niche pour notre chien. Par contre, nous n'offrons aucun foyer à notre esprit. Nous le traitons comme un paria. Nous lui faisons porter la honte et le blâme, encore et encore. Toutefois, si vous laissez l'esprit poser ses questions, le cœur révèle les réponses. L'esprit peut alors se reposer chez lui, dans le cœur, et s'apercevoir que les deux ne font qu'un.

Voilà comment agissent les quatre questions. Vous écrivez le problème et procédez à l'investigation, puis le cœur vous fournit la réponse que vous connaissez depuis toujours. Cela s'appelle l'humilité. Il n'y a rien d'autre à faire. Se tenir dans une pièce ou s'asseoir dans un fauteuil, regarder l'histoire tout simplement. Si c'est effrayant ou déprimant, posez les quatre questions, faites l'inversion et revenez à vous.

Laissez la réalité être ce qu'elle est. C'est ce que vous avez de mieux à faire puisqu'elle est comme elle est. Tout va et vient au moment opportun. Vous n'avez aucune emprise. Vous n'en avez jamais eu et n'en aurez jamais. Vous ne faites que raconter l'histoire de ce qui arrive, selon vous. Croyez-vous provoquer le mouvement ? Ce n'est pas le cas. Ce n'est qu'une apparence, mais vous racontez l'histoire de votre intervention. « J'ai bougé mes jambes. *J'ai* décidé de marcher. » Je ne pense pas. Investiguez et vous découvrirez que ce n'est qu'une histoire à propos de ce qui est. Vous savez que vous allez bouger parce que tout se produit simultanément. Vous racontez l'histoire avant que se produise le mouvement parce que vous êtes déjà ce mouvement. Cela bouge et vous croyez avoir provoqué le mouvement. Puis, vous racontez l'histoire de votre départ vers un lieu ou d'une activité que vous faites. Vous n'avez de l'emprise que sur l'histoire. C'est le seul jeu auquel vous pouvez jouer.

❀

Certaines personnes définissent la compassion comme le fait de ressentir la douleur d'autrui. C'est un non-sens car cela est impossible. Vous imaginez comment vous vous sentiriez si vous étiez à la place d'une personne et ce que vous ressentez, c'est votre propre projection. Qui seriez-vous sans votre histoire ? Vous ne souffririez pas, vous seriez heureux et tout à fait disponible si quelqu'un avait besoin de vous — un écoutant, un maître sur place, un Bouddha sur place, la personne qui vit.

Puisque vous croyez qu'il existe un vous et un moi, révélons la vérité sur les corps. Ce que j'aime des corps séparés, c'est que lorsque vous souffrez, je ne souffre pas — ce n'est pas mon tour. Et quand je souffre, vous ne souffrez pas. Pouvez-vous m'accorder votre présence sans que votre souffrance intervienne entre nous ? Votre souffrance ne peut m'aider en rien. La souffrance n'enseigne que la souffrance.

❀

En l'absence de maître, il n'y avait personne pour me dire que la pensée était une ennemie. Il était donc naturel que je finisse par aborder chaque pensée avec compréhension, comme une amie. Je ne peux vous accueillir comme un ennemi sans le sentir. Ainsi, comment pourrais-je accueillir une pensée en moi telle une ennemie, sans le sentir ? Quand j'ai appris à aborder mes pensées comme des amies, j'ai observé que je rencontrais tous les humains tels des amis. Que pourriez-vous dire de moi que je n'aie pas déjà pensé ? C'est si simple.

❀

Il n'y a pas de souffrance dans le monde ; il n'y a qu'une histoire non investiguée qui vous porte à le croire. Il n'y a pas de souffrance dans le monde qui soit réelle. N'est-ce pas étonnant ! Faites le Travail et découvrez-le par vous-même.

❀

Nous ne craignons que ce que nous sommes — ce que nous n'avons pas examiné de l'intérieur et accueilli avec compréhension. Si je pense que pour vous je suis peut-être ennuyeuse, je suis effrayée parce que je n'ai pas investigué cette pensée. Ainsi, ce ne sont pas les gens qui m'effraient, je m'effraie moi-même. C'est mon affaire, jusqu'à ce que je procède à l'investigation et mette fin à cette peur. Le pire qui puisse arriver, c'est de penser que votre opinion de moi soit celle que j'ai moi-même. Je suis donc assise dans une mare remplie de moi.

Quand vous devenez amoureux de ce qui est, la guerre est terminée. Plus de décisions à prendre. J'aime affirmer : « Je suis une femme sans avenir. » Quand il n'y a plus de décisions à prendre, il n'y a plus d'avenir. Toutes mes décisions se prennent d'elles-mêmes, et c'est aussi le cas pour vous. Toutefois, dans votre esprit, vous racontez une histoire comme quoi c'est vous qui décidez.

Tant que la paix n'est pas en vous, elle n'est pas dans ce monde, parce que vous êtes le monde, vous êtes la Terre. La Terre et l'espace au-delà ne sont qu'une histoire. Quand vous êtes dans un état de sommeil sans rêve, le monde existe-t-il ? Pas avant d'ouvrir les yeux et de dire »Je» : « Je m'éveille », « Je dois aller travailler », « Je vais me brosser les dents ». Tant que « je » n'est pas né, le monde n'existe pas. Quand le « je » surgit, commence le film sur la personne que vous croyez être. Cependant, si vous l'investiguez, il n'y a pas d'attachement. Ce n'est qu'un bon film. Faute d'investigation, le « je » surgit et s'identifie au corps, et vous croyez que c'est vrai alors que c'est une pure fantaisie. Si vous pensez être dans ce cas, peut-être est-il temps d'investiguer.

Vous ne pouvez l'avoir parce que vous l'*êtes* déjà. Vous avez déjà ce que vous voulez. Vous êtes déjà ce que vous voulez.

Tout est pour le mieux. Voilà votre réalité maintenant. Parfaite. Impeccable. S'y opposer, c'est faire l'expérience du mensonge. Le Travail vous donne cette conscience formidable : la conscience du mensonge et le pouvoir de la vérité. La beauté de ce qui est vraiment.

❀

Voyez-vous exactement là où vous en êtes dans votre évolution — pas plus loin.

❀

Vous ne connaissez pas l'anxiété, sauf si vous vous attachez à une pensée qui n'est pas vraie pour vous. C'est aussi simple que ça. Vous ne ressentez pas d'anxiété tant que vous n'accordez pas foi à une pensée — qui est fausse.

❀

La Terre a quelque chose de charmant. Ce que j'appelle la réalité. Quelqu'un m'a déjà qualifiée de maître de la descente. Voici ce qu'il a dit : »J'ai entendu parler de maîtres de l'ascension, mais vous êtes un maître de la descente.» Ainsi, puisque je n'avais aucun guide, je n'avais rien vers quoi aspirer. C'était facile de tomber amoureuse de ce qui est : une femme assise dans un fauteuil buvant une tasse de thé. C'est aussi agréable que je le souhaite, parce que c'est ce qui est. Quand vous aimez ce qui est, il devient très simple de vivre dans le monde, puisqu'il est exactement tel qu'il devrait être.

❀

Nous sommes vraiment en vie quand nous vivons sans croyances. Nous sommes ouverts, dans l'expectative, confiants, aimant accomplir ce qui apparaît devant nous dans le présent.

❀

Les gens parlent d'épanouissement personnel et il est juste là ! Pouvez-vous juste inspirer et expirer ? Au diable l'illumination ! Contentez-vous d'être éclairé dans le moment présent. En êtes-vous capable ? Et puis, à la fin, tout s'effondre. L'esprit retrouve le cœur. Il s'unit au cœur et comprend qu'ils ne font qu'un. Il s'y trouve à sa place et s'y repose. Il ne peut plus être menacé, réprimandé ou effrayé. Il n'y a pas de paix tant que l'histoire n'est pas abordée avec compréhension. Seuls l'amour et la compréhension guérissent.

❀

L'esprit semble se déverser partout, mais il est ce qui ne bouge pas, ce qui reste toujours immobile. Il semble être tout. En bout de ligne, il finit par voir qu'il est nulle part. L'épanouissement personnel est son œuvre constante. Il se sent humble, parce qu'il comprend que ce qui n'a pas été créé ne peut être réclamé. La splendeur de l'humilité est tout ce qui lui reste. Il demeure dans un état de gratitude pour tout : pour lui-même.

La vérité terrifie l'ego. Et la vérité, c'est que l'ego n'existe pas.

Le Travail vous départit toujours d'une histoire. Qui seriez-vous sans votre histoire? Tant que vous n'investiguez pas, vous l'ignorez. Aucune histoire n'est vous ou ne mène à vous. Toute histoire produit un éloignement de vous. Inversez-la; déconstruisez-la. Vous êtes ce qui précède toutes les histoires. Vous êtes ce qui reste une fois que l'histoire est comprise.

Quelqu'un dit : «Oh, quelle journée horrible; je suis tellement déprimé.» C'est le roi de la souffrance. Pour lui, tout va de travers, la beauté n'existe pas. Il est un reflet ignorant qu'il n'est juste qu'un reflet. Soyez ce qui est, le mouvement sans histoire, le reflet — rien de plus. Ainsi la source est connue et unifiée. Le reflet se meut sous la forme de Dieu, sans résister. Et c'est la conscience, la joie de ce qu'est le monde et de ce qui est pour moi l'image de Dieu Lui-même en train de danser. L'histoire d'un problème, une fois investiguée, devient risible. Et même ceci est Dieu.

Je dis des choses telles que : «Tant que je ne suis pas libre d'être heureuse en présence de mon pire ennemi, mon Travail n'est pas terminé.» Et les gens croient qu'il s'agit d'un motif pour accomplir le Travail. C'est plutôt une observation. Si vous faites le Travail avec un motif quelconque — par exemple, reconquérir votre femme ou cesser de consommer de l'alcool —, ce n'est pas la peine! Accomplissez le Travail pour l'amour de la vérité et de la liberté. N'est-ce pas d'ailleurs la raison pour laquelle vous voulez votre femme? Pour être heureux et libre? Eh bien, laissez tomber l'intermédiaire et soyez heureux et libre dès maintenant! C'est ce que vous êtes. Il n'y a rien d'autre à faire.

Les gens me demandent comment je peux vivre si rien n'a de sens et que je ne suis personne. C'est très simple. Nous sommes vécus. Ce n'est pas nous qui commandons. Vous respirez-vous? Voilà donc la fin de l'histoire. Venez-*vous* juste de porter la main à votre visage? L'aviez-vous planifié? Sans histoire, nous bougeons sans effort, en parfaite santé, avec fluidité, librement, avec beaucoup d'amour, sans lutte, sans résistance. Cette possibilité peut effrayer énormément les personnes qui pensent être aux commandes.

Investiguez et voyez comment la vie se poursuit beaucoup plus joyeusement. Même dans son effondrement manifeste, je ne perçois que de la joie.

Si vous étiez conscient de votre importance — sans histoire, vous venez à la découvrir —, vous vous transformeriez en un milliard de fragments et ne seriez que lumière. Voilà à quoi servent les concepts mal interprétés : vous éviter cette prise de conscience. Si vous le saviez, il vous faudrait l'incarner — un fou, aveuglé par l'amour. Il est si douloureux de vivre hors de la lumière. J'ignore comment les gens peuvent tenir aussi longtemps. Quant à moi, je souffrais tant que je n'ai pu tenir que 43 ans. Quarante-trois siècles.

Votre ego doit constamment vous terrifier afin que vous puissiez investiguer et vous réapproprier vous-même dans votre corps. C'est ce que nous vivons tous. Quand nous sommes détachés de nos pensées, quand tous les pourquoi, les quand et les où nous abandonnent, ce qui est vraiment devient alors visible.

La peur de la mort est le dernier stratagème de la peur de l'amour. L'esprit contemple le vide et lui donne un nom pour s'empêcher d'expérimenter ce qu'il est vraiment. Toute peur est une peur de l'amour, parce que découvrir la vérité de toute chose, c'est découvrir qu'il n'y a personne, pas d'exécutant, pas de moi pour créer la souffrance ou s'identifier à quoi que ce soit. Sans rien de tout cela, il ne reste que l'amour.

Le soi à la rencontre du soi — voilà ce qu'il en est. Si j'attends que Dieu m'éclaire, je peux attendre très longtemps — peut-être des années ou des décennies. Quand je m'agenouille et que je prie Dieu en toute sincérité, c'est *moi* qui écoute. Puis-je faire ce que j'ai prié Dieu de faire ? Suis-je capable de m'entendre ? Qui d'autre écoute ? Je suis amoureuse de la réalité. Puis-je juste m'écouter ? Et quand je m'entends, il n'y a plus de séparation. Si je veux que Dieu accomplisse quelque chose, je fais l'inversion. Et dans la paix que cela m'apporte, je connais la vérité.

Vivre dans le présent ? Même l'idée « présent » est un concept. Avant même que la pensée soit complète, elle est partie, sans laisser de preuve d'avoir jamais existé. Même la pensée n'existe pas. Voilà pourquoi tout le monde possède déjà l'esprit tranquille recherché.

Tout plaisir est souffrance, jusqu'à ce que je comprenne. Je deviens alors le plaisir convoité. Je suis ce que j'ai toujours voulu. Le plaisir est un reflet de ce que nous possédons déjà avant de poser notre regard loin de la réalité. Quand nous cessons de rechercher le plaisir, la beauté qui était masquée par notre quête se dévoile. C'est si simple et si clair. Ce que nous espérons du plaisir est simplement ce qui reste au-delà de toute histoire.

Le début du temps n'existe pas, seulement le début de la pensée.

L'illusion est le reflet qui s'attache à une croyance. L'illusion est l'ego qui se croit distinct. Il ne l'est pas. Il va là où va Dieu. Dieu — la réalité — est tout. L'ego n'a pas d'option. Il a beau protester, si Dieu se déplace, il se déplace aussi.

Pour moi la réalité est Dieu, parce que c'est elle qui commande. Comment puis-je savoir que mon frère devait mourir? Il est mort. C'est la réalité. C'est ce qui est. La réalité n'attend pas mon vote ou mon opinion. Et même cela n'existe pas, puisque ce qui est est l'histoire d'un passé. Ce que je préfère à propos d'une histoire du passé, c'est qu'elle est terminée. Voilà pourquoi je suis amoureuse de la réalité. Elle est toujours plus agréable que l'histoire.

J'honore ma voix intérieure. J'y suis mariée. Cette vie ne m'appartient pas. La voix dit : «Brosse tes dents.» D'accord. Je ne sais pourquoi, mais j'obéis. Elle dit : «Marche.» D'accord. Je continue d'avancer. Quelqu'un dit : «Viendras-tu faire le Travail avec nous?» D'accord. Je suis les ordres. Et ce qu'il y a de merveilleux, c'est que c'est amusant. Si je ne suis pas les ordres, c'est bien aussi. Je joue à découvrir où cela me mènera si je suis.

Pendant 43 ans, j'ai été en guerre dans une histoire. Puis un jour, dans un instant de clarté, j'ai retrouvé le chemin vers moi-même. Et c'est ce que propose l'investigation. Elle vient de la source et retourne à la source. C'est un si beau cadeau. J'étais toujours empêtrée dans mes histoires, ma folie. Et puis, un jour, quand j'ai entendu : «Brosse tes dents», j'ai commencé à reprendre mes sens et il y a eu un destinataire. Et cela s'est ouvert, telle une matrice. Cela s'est ouvert sur cette possibilité, sur le mystère. Chaque instant est une nouveauté! «Brosse tes dents.» Ce n'est pas tellement spirituel à mes oreilles, mais c'était bel et bien le message. «Marche.» Cela s'est ouvert et est devenu de plus en plus attentif. Tout mariage n'est qu'une métaphore de ce mariage. Et si je ne suis pas, si je dis : «Plus tard», je ne me sens pas très à l'aise. Puis, la voix revient et je me brosse les dents. Cela devient une action intemporelle car en vous ouvrant à ce phénomène, l'espace et le temps n'existent plus. Cela se résume à «Oui. Oui. Oui.» Voilà pourquoi j'affirme : «Les frontières sont un signe d'égoïsme.» Je n'en ai pas. Quand cela dit : «Saute», je saute. Là où je saute, je n'ai rien à perdre. Rien n'est plus amusant que de suivre un ordre insensé en disant «oui». Vous n'avez rien à perdre. Vous êtes déjà mort. Vous pouvez vous permettre de faire l'idiot.

Chaque mot est la voix de Dieu. Chaque mot est un mot de Dieu. Il n'y a rien de personnel ici. Et tout est personnel. Si la Lune se lève, c'est pour vous. C'est vous qui la regardez! (Et ce n'est qu'un début.)

L'état constant de gratitude est le test ultime en ce qui concerne l'épanouissement personnel. Il n'est pas possible de chercher ni de trouver cette gratitude. Elle vient d'autre part. Elle nous envahit complètement. Elle est tellement vaste qu'elle ne peut être atténuée. Elle s'appartient elle-même. C'est Dieu imprégné de Dieu, Lui-même. L'acceptation et l'anéantissement de Lui-même reflétés au même moment en un lieu central de fusion. C'est le commencement. Ce qui ressemble à une fin est un début. Et quand vous pensez que la vie est si belle qu'elle ne pourrait être meilleure, elle s'améliore. C'est obligé. C'est une loi.

C'est à la fois personnel et non personnel. D'une part, c'est personnel en ce sens que le monde entier est moi — un reflet qui est moi et que j'aime. Sans lui, je n'ai plus de corps. Et pas que j'aie besoin de regarder, mais regarder est si agréable. D'autre part, ce n'est pas personnel parce que je ne vois rien de plus qu'un reflet. Tant que Dieu — la réalité — ne bouge pas, je reste immobile. Tout mouvement, tout son, tout souffle, toute molécule, tout atome n'est rien d'autre qu'un reflet de Dieu. Ainsi, je ne bouge pas, on me bouge. Je n'agis pas, on agit par moi. Je ne pense pas, cela pense. Je ne respire pas, cela respire. Il n'y a pas de moi, il n'y a rien de personnel ni de réel ici. Chaque fois que vous parlez, c'est Dieu qui parle. Quand une fleur s'épanouit, c'est Dieu. Quand Hitler met en marche ses troupes, c'est Dieu. Je ne vois que Dieu. Et Dieu est bonté ; pour moi, ce sont des synonymes. Comment pourrais-je ne pas aimer tout ce que je suis, tout ce que vous êtes ? Un moi.

Si vous trouvez le travail intérieur excitant, vous en viendrez à souhaiter le pire, car il n'existe aucun problème ne pouvant être guéri de l'intérieur. Et vous vous demanderez comment vous avez pu croire qu'il s'agissait d'un problème. Vous avez trouvé le paradis.

Le pardon, c'est découvrir que ce que vous croyez qui s'est produit n'est pas arrivé. C'est découvrir qu'il n'y a rien à pardonner. Personne n'a jamais fait quelque chose de terrible. Rien n'est terrible, sauf les pensées qui vous viennent à partir de ce que vous voyez. Ainsi, chaque fois que vous souffrez, investiguez votre pensée et libérez-vous. Devenez un enfant. Oubliez ce que vous savez. Laissez-vous guider par votre ignorance, jusqu'à la liberté.

Je fais l'expérience du « je » qui émerge et ce privilège me fait frémir parce que le « je » est Sa nature véritable qui naît. Quand le « je » émerge, Il se présente Lui-même à Lui-même. Votre nom est celui de Dieu. Il est égal à « table ». « Je. » « Dieu. »

Nous ne faisons rien. En bout de ligne, nous sommes façonnés. Si je dis : « Je vais au magasin », il est clair que c'est Dieu qui va vers Dieu. *Magasin* est un synonyme de Dieu. *Je* est un synonyme de Dieu. Et Dieu est synonyme de ce qui est. Quand je dis : « Je t'aime », il n'y a pas de personnalité qui parle. C'est l'amour de soi : je ne parle qu'à moi-même. Je suis consciente que Cela ne fait que parler à Soi-même. Si je dis : « Je vais vous verser du thé », Cela Se verse Son propre thé et le thé est Lui-même. C'est un tel repli sur soi que cela ne laisse de place à rien d'autre. Rien. Pas une molécule séparée d'Elle-même. C'est l'amour véritable. C'est le soi ultime. Il n'y a pas d'autre existence. Cela se vit toujours en soi, et cela aime qu'il en soit ainsi. C'est un état de non-culpabilité. Rien n'est séparé. Dans le monde apparent de la dualité, nous percevons un «vous» et un «moi», mais en réalité ils ne font qu'un. Et même cela n'est pas vrai.

«Quelque chose, c'est toujours mieux que rien» — est-ce vrai? *Quelque chose* — un synonyme de Dieu. *Rien* — un synonyme de Dieu. C'est identique. Aucune préférence. L'avez-vous remarqué? Tout mot est un synonyme de Dieu. Si vous associez un sens à un mot, bienvenue à la genèse.

Tout est égal. Il n'est pas question de cette âme-ci, cette âme-là. Il n'y en a qu'une seule. Et c'est l'ultime histoire. Il n'y a qu'un. Et pas même ça. Peu importe la manière dont vous tentez de vous séparer, c'est impossible. Toute pensée à laquelle vous adhérez est une tentative de briser le lien. Mais cela reste une tentative; elle ne peut se réaliser. Voilà pourquoi nous nous sentons si mal.

Même les soi-disant vérités s'effondrent. Toute vérité est une distorsion de ce qui est. L'ultime vérité — que j'appelle le jugement dernier — est «Dieu est tout. Dieu est bon.» À la fin, même cet énoncé n'est pas vrai. Cependant, tant qu'il efficace pour vous, conservez-le et vivez une vie heureuse.

※

Nous vivons en tant que conscience et la conscience se concentre toujours sur quelque chose, parce qu'elle est tout. Elle remarque son propre doigt ou son pied. Quelque part en elle, il y a toujours un point de concentration. Son souffle peut effleurer la base de sa langue. Peu importe où se situe la conscience — le souffle, les doigts, les orteils — quelque chose se poursuit continuellement en elle, en tant que telle. Rien ne l'actionne et pourtant elle est en mouvement perpétuel. Elle est son propre point de concentration. Elle est toujours présente, comme le battement de votre cœur. Son rythme est régulier, son état constant. Ce n'est rien, et c'est tellement beau qu'elle voudrait avoir un nom. Présentement, c'est une main sur ma tête, mon coude sur le canapé, mon cœur qui bat, mes orteils bougeant selon leur rythme naturel. J'observe mes doigts qui font la même chose, toujours en douceur. Si j'étais absorbée dans quelque chose, elle serait imperceptible. Et tandis que je parle, le mouvement continue. Il n'y a aucun son, même s'il semble que je parle. Quand j'entends un son, c'est aussi le silence. La langue qui heurte le palais. Les lèvres qui se joignent. La chaise qui me soutient. Je suis toujours soutenue. Même quand je marche, la terre me soutient.

Remerciements

Je veux exprimer mon amour et ma profonde gratitude à Prem Rikta, Michele Penner, Ellen Mack, Michael Katz, Josh Baran, Paula Brittain, Melony Malouf, Mischelle Miller, Lesley Pollitt, Bob Brittain, Penfield Chester et à tous les membres du personnel qui ont rendue accessible à tant de gens l'école du Travail.

NOTES SUR L'AUTEURE

La méthode de Byron Katie, toute simple mais tellement puissante, qui consiste à investiguer la cause de nos souffrances, s'appelle le Travail. Depuis 1986, Byron Katie a initié au Travail des centaines de milliers de gens de par le monde à des présentations publiques, dans des prisons, des hôpitaux, des églises, des entreprises, des universités et des écoles, de même que dans le cadre de séminaires intensifs d'un week-end ou à son école du Travail.

Elle est l'auteure des succès de librairie *Aimer ce qui est* et *J'ai besoin que tu m'aimes* ainsi que d'autres ouvrages. Voici l'adresse de son site Internet : www.thework.com. Vous y trouverez son blogue, un calendrier des événements, un réseau d'entraide pour le Travail, une ligne d'assistance téléphonique, des extraits audio et vidéo, des articles et de l'information générale.

Consultez le www.thework.com[2] et changez votre vie :

- Informez-vous davantage sur le Travail ;
- Téléchargez des extraits audio et vidéo de Katie en cours de Travail avec des gens ;
- Imprimez les fiches de travail pour votre usage quotidien ;
- Établissez votre pratique dans le Réseau, trouvez de l'aide ou utilisez la ligne d'assistance téléphonique ;
- Consultez le calendrier des événements ;
- Joignez-vous au salon de Katie ;
- Informez-vous sur School for the Work (l'école du Travail) avec Byron Katie ;
- Visitez la boutique pour y découvrir les livres, les CD et les DVD de Katie.

---

2. Disponible en anglais seulement